KB075616

나의 경우엔
이혼이라기보다 독립

나의 경우엔 이혼이라기보다 독립

발 행 | 2024년 01월 05일
저 자 | 이찬란
펴낸이 | 한건희
펴낸곳 | 주식회사 부크크
출판사등록 | 2014.07.15.(제2014-16호)
주 소 | 서울특별시 금천구 가산디지털1로 119 SK트윈타워 A동 305호
전 화 | 1670-8316
이메일 | info@bookk.co.kr

ISBN | 979-11-410-6473-0

www.bookk.co.kr

나의 경우엔

이혼이라기보다 독립

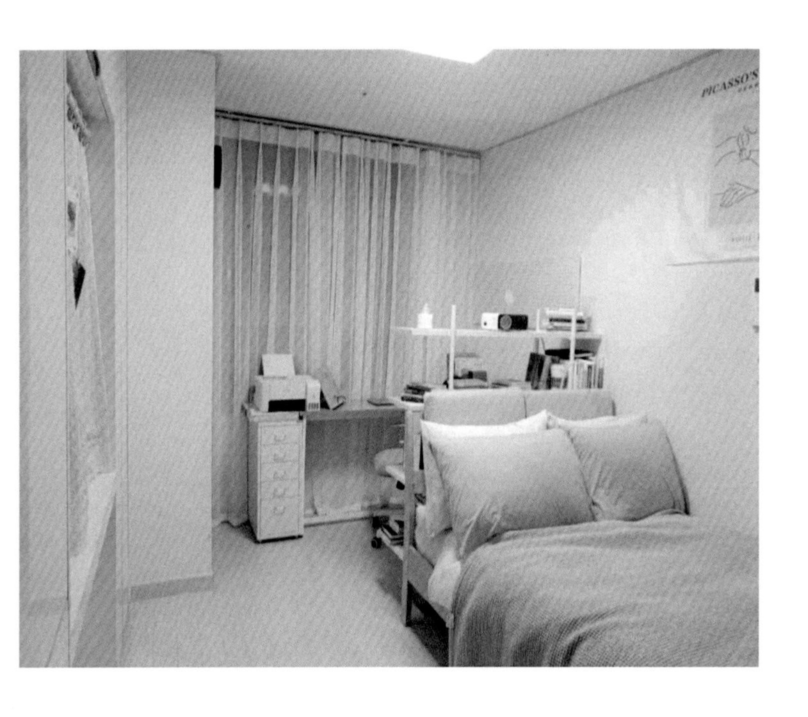

▎프롤로그

나를 배웅하는 시간

저녁 여섯 시 반에 퇴근을 하면 자전거를 타고 집으로 씽씽 달려간다. 페달 밟는 속도만큼 쏟아지는 바람을 들이켜며 그야말로 씽씽 달린다. 집에서 나를 기다리는 사람은 아무도 없다. 하지만 그 점이 가장 마음에 든다. 엘리베이터에서 흐트러진 앞머리를 정돈하며 숨을 고르고 현관문을 열면 고요하고 익숙한 공간이 주는 안도감이 나를 감싼다. 나는 마치 누군가에게 안기듯 흡족한 기분으로 그 안에 와락 뛰어든다.

내가 초등학교에 들어갈 무렵부터였나 엄마는 틈만 나면 우리 세 자매에게 "어서 커서 시집 가 버려라."하고 말했다.

우리가 매일 같이 내놓는 세 벌씩의 흰 양말과 내의를 모아 삶거나 수북한 설거지를 빠르게 해치우고 어질러진 거실에 엎드려 걸레질할 때도 그 말을 주문이나 간절한 염원처럼 되풀이했다. 하지만 결혼을 생각하기에 우리는 너무 어렸고 서로 치고받고 뒹구는 데 여념이 없었으므로 그 말을 들어줄 수가 없었다.

조금 자라서는 엄마가 나처럼 혼자 있는 걸 좋아하나 보다, 라고 간간이 생각했다. 나는 언니와 동생을 피해 안방의 열두 자짜리 자개장롱과 벽 사이의 좁은 공간에 숨는 걸 좋아했다. 그 자리에 있는 키 큰 옷걸이를 밖으로 조금 밀어내면 아이 한 명이 들어가 앉기 딱 알맞은 자리가 마련되었다. 옷걸이에 길게 걸린 옷이 커튼 역할을 해 분위기도 무척 아늑했다. 그곳으로 책을 들고 들어가 누군가 찾을 때까지 나오지 않았다. 엄마는 그런 내 습관을 썩 좋아하지 않았다. 안으로 기어들며 옷을 바닥에 떨어뜨렸고, 종종 잠드는 바람에 끌어내려면 불필요한 힘을 들여야 했기 때문이다.

기억하기에 엄마는 여러 가지 이유로 늘 지쳐 있었는데 그래서인지 딸들의 시집에 대한 염원은 점점 커지는 듯했다. 이십 년 전 첫 번째 연애 상대와 별다른 고민 없이 결혼을 한 건 아마 그 때문이었는지도 모른다. 얼렁뚱땅 결혼하고 신혼여행을 다녀와서야 나는 마법에 걸렸다 풀려난 사람처럼 현실과 마주할 수 있었다. 그 후로 이십 년. 무책임한 선택의 대가로 무척이나 혹독하고 길고 외로운 시간을 보낸 후에야 나는 다시 원점으로 돌아올 수 있었다.

드나드는 사람이 하나뿐인 집은 오로지 그의 움직임만을 기억한다. 샤워로 먼지와 땀을 씻어낸 뒤 맑아진 눈으로 집안을 둘러본다. 거실 테이블에 쌓아둔 책과 노트북, 커피잔이 오전에 놓아둔 그대로 자리를 지키고 있다. 진녹색 의자 하나가 테이블과 거리를 두고 비뚤게 놓여 있다. 거실의 육인용 테이블은 내가 가장 오래 머무는 장소이다. 제각기 다른 모양의 의자 세 개를 두고 번갈아 가며 사용하지만 팔걸이가 높고 좌석이 넓은 진녹색 의자에 주로 앉는 편이다. 아마 출근 전까지도 앉아 있다가 일어나며 밀어둔 모양이다.

테이블 근처에 서서 과거의 나를, 너무 가까워서 미처 과거로 보내지 못한 모습을 더듬어 본다. 노트북을 켠 채 자판을 누르다 멍하니 화면을 바라보고, 독서대에 프린트해

겹겹이 쌓아둔 똑같은 제목의 습작 소설을 뒤적이며 머리를 긁적이는 나. 참고용으로 쌓아둔 책더미에서 책 하나를 뽑아 읽는 도중, 내린 지 오래돼 식은 커피를 인상 써가며 굳이 마시는 내가 잔상처럼 떠오른다.

나는 알람 소리에 맞춰 일어나 옷을 갈아입고, 가방을 챙기고, 들고 나갈 쓰레기가 없는지 확인하고, 불을 끈 뒤 현관으로 향한다. 나가는 순간은 늘 분주하다. 그래서 밀어놓은 의자는 집어넣지 못한다. 오전에 밀어둔 의자에 앉아 현관문을 열고 나가는 내 뒷모습을 본다. 또로록, 도어락 잠기는 소리와 함께 미처 떠나지 못했던 내가 과거로 사라지고 현재의 나만 남는다. 이제 하루 중 가장 안온한 시간이다.

전남편과의 이혼을 완료하던 이 년 전 칠월에 나는 미안한 마음을 담아 처음이자 마지막으로 그에게 사과했다. 시작부터 지나치게 뜨거웠던 그가 불편했으면서 적극적으로 거절하지 않은 것과 오래 미룬 숙제를 해치우듯 결혼을 한 것, 그러기 위해 실은 상대가 누구라도 상관없다고 생각했던 것에 대해 솔직히 말하지는 못했다. 대신 나는 애초에 혼자 살아야 할 사람이었다고, 결혼하고 나서야 그걸 알게 되었다고 했다.

그는 대답하지 않았지만 내가 말하지 못한 사실을 이미 알고 있는 것 같기도 했다. 어쩌면 그도 나처럼 알면서 모르는 척 꾸역꾸역 살아왔는지 모른다. 때로 사람은 자신이 한 실수를 인정하기 싫어 그대로 두기도 하니까. 하지만 그게 아니라도 어쩔 수 없다. 어떤 노래의 가사처럼 '지나간 것은 지나간 대로 그런 의미'가 있는 법이고 과거는 과거로 보내주어야 한다. 오늘 저녁도 나는 가장 좋아하는 진녹색 의자에 팔을 걸치고 앉아 오늘과 어제, 몇 년 전과 몇십 년 전의 나를 끊임없이 과거로 배웅하는 중이다.

독립, 시작

나를 돌보는 연습

다시 배우는 세계

독립, 시작

마흔의 첫 기억

"그래서, 뭘 쓰고 싶다는 거야!"

교수님의 짜증 섞인 호통에 정신이 번쩍 들었다. 일 년간 망설이기만 하다 지원한 대학원 면접장에서였다. 일 분간 자신의 역사를 소개하라는 질문에 이미 혼이 달아난 후였다.

"동화요. 동화 써 보고 싶어요."

머릿속이 텅 비어버린 나는 풀죽은 소리로 대답했다. 그러나 정말로 동화를 쓰고 싶었던 건 아니었다. 그냥 더 이상 어물거릴 수 없는 상황에서 뭐라도 대답을 해야 했고 평생 글이라곤 써 본 적 없는 입장에서 그나마 부담이 덜한 장르를 선택한다는 게 동화가 되었을 뿐이다. 이후로 과제 때문에 딱 한 번 써 보고 동화는 포기했다. 감히 건드릴

수 있는 영역이 아니었다고나 할까. 어린 시절 최초의 기억을 더듬듯 나는 이따금 혼란스럽고 부끄러웠던 그날을 떠올린다. 그럴 때마다 함께 따라오는 기억이 있다.

아마 여섯 살 무렵이었던 것 같다. 나는 외할머니 옆에 앉아 무릎을 덮는 넓은 동화책을 펼치고 더듬더듬 소리 내어 읽고 있다. 배장수가 나오는 동화였는데 욕심쟁이 배장수를 스님이 요술로 혼내준다는 뭐 그런 내용이었다. 할머니는 방바닥에 베개를 베고 모로 누워 "옳지, 옳지. 그래서 어쨌다냐." 하시며 이야기에 폭 빠져 나를 재촉했다. 나는 읽는 속도를 높이고 싶었지만 모르는 글자가 나올 때마다 멈칫거리며 글자를 골똘히 들여다보느라 그럴 수 없었다. 그리고 무엇보다 목이 너무나 따가웠다. 아마 그 책을 읽기 전에 몇 권을 더 소리 내어 읽었던 모양이다. 침을 꿀꺽 삼키고 큼큼거리며 목을 가다듬어 가며 한편으로는 외할머니와 같은 마음으로 뒷이야기가 궁금해 조바심 내던 그 짧은 순간이 아직도 선명하다.

천구백십년대 생인 외할머니는 문맹이었지만 훌륭한 이야기꾼이었다. 맞벌이로 바쁜 부모님을 대신해 우리 세 자매를 돌봐 주실 때면 우리는 항상 할머니 팔에 달라붙어 이야기를 조르곤 했다. 그렇게 듣기만 하던 이야기를 스스로 읽고 볼 수 있게 되었을 때는 정말 기뻤다. 새로 알게 된 재미난 이야기를 들려주고 싶어서 나는 외할머니가 오실 때마다 책을 펼쳤다. 어쩌면 면접장에서 동화를 떠올린 건 그래서였는지도 모른다.

책 읽는 재미를 알게 된 후 초등학교에 입학해서는 학교 도서관에 이삼 일에 한 번꼴로 드나들었다. 당시만 해도 학교 도서관이 활성화되지 않았던 시절이라 도서관 이용 시간은 하교 후 한두 시간 정도였고 대출도 한 번에 두 권밖에 되지 않았다. 나는 책장 사이에 쪼그리고 앉아 이 책 저 책을 마구 읽다 힘들게 두 권을 추렸다. 친척 집이나 친구 집에 가면 책장을 먼저 찾아 허겁지겁 읽기도 했다. 불행히도 우리 집에는 책이 많지 않았기 때문이다. 늘 시간에 쫓기며 책을 읽다 보니 습관적으로 책을 빨리, 여러 권 읽는 데 집중했다. 당시에는 그것만으로도 즐거웠지만 이제 생각해 보면 허술하기 짝이 없는 독서였다.

책을 좋아하지만 실컷 누려보지 못해서인지 언젠가부터 막연히 글 쓰는 사람이 되어 있는 나를 상상하곤 했다. 창으로 나무와 풀과 꽃이 보이는 곳에 투박한 나무 테이블을 두고 앉아 뭔가를 끄적이는 나. 실제로 글을 쓰지는 않았지만 그 장면을 상상하는 것만으로도 뿌듯한 만족감을 얻곤 했다. 나는 마치 좋은 것을 남겨두고 아끼듯 아이가 좀 더 크면, 여유가 생기면, 나이 들면, 은퇴하면 해 봐야지, 라고 꿈을 유예하며 현실을 살았다. 그러다 서른 살의 마지막 해에 문득 더 미뤄서는 안되겠다는 생각이 들었던 것이다. 그러나 허술한 독서만큼이나 준비 없이 들어선 면접장은 살벌했고 나는 그 안에서 갈 길을 잃었다. 그렇게 면접을 마치고 나와서 이제 다 망쳤다는 생각에 새벽까지 술을 퍼마시고 뻗어버렸다. 차라리 그냥 꿈으로 가지고 있었다면 좋았을 텐데 그동안 품고 있던 유일한 기쁨이 내 잘못으로 산산조각 난 기분이었다.

만약 그때 대학원 진학에 실패했다면 지금 어떻게 살고 있을까? 여전히 회사를 다니며, 다 큰 아이에게 잔소리하고, 재테크에 열을 올리며 나쁘지 않은 삶을 살고 있을 것이다. 다만 더는 글 쓰는 나를 상상하지 않게 되었겠지. 그날 면접실을 나오기 전 절박함을 담아 읍소했다.

"저 공부하고 싶어서 직장도 그만뒀어요."

지금 생각해도 낯 뜨거운 그 한마디가 내 인생을 바꿨다. 나를 향해 화내시던 교수님이 픽 웃으셨고 얼마 후 합격 통보를 받았다. 너무 당황한 나머지 아직도 면접관이셨던 교수님 얼굴을 제대로 떠올리지 못하는 그날.

그것이 내가 기다려 온 마흔의 시작이자 첫 기억이다.

문서를 쥐기에 좋은 날입니다

남편과 이혼 이야기가 오고 간 후 가장 먼저 한 일은 휴대폰에 다방 앱을 깐 것이다. 딸아이가 만 스무 살이 되지 않아 숙려기간이 삼 개월 정도 걸릴 예정이었기 때문이다. 남편은 좋은 방이 있으면 미리 짐을 옮겨도 괜찮다고 했지만 그렇게까지 야박하게 굴고 싶지 않았다. 말은 그렇게 했지만 사실은 조금 겁이 났던 건지도 모른다. 나는 마흔이 넘도록 자취를 포함해 혼자 살아본 경험이 한 번도 없었다. 그건 가족들 북적북적한 집에서 방을 혼자 쓰는 것과는 완전히 다른 개념이었다.

앱을 깔고 일주일 정도 매물을 검색했다. 당장 가진 돈으로 전세는 불가능했다. 앞으로 남편의 수입에 의지할 수 없으므로 어느 정도 여유금을 가지고 마이너스 되는 생활비를 보충해야 했다. 보증금과 월세가 저렴한 곳은 다세대나 원룸이었지만 안전이 문제였다. 대부분 다세대는 골목 안쪽에 몰려있었고 입구에 안전장치가 없어 외부인 출입을 통제하기 어려운 데다 층수가 낮아 누군가 마음만 먹으면 창을 통해 안으로 손쉽게 들어올 수도 있을 것 같았다. 나는 적당한 매물이 보이면 일단 찜을 해두고 지도로 위치를 살펴가며 조금이라도 외져 보이는 곳은 하나씩 지워나갔다. 결국 가능한 선택은 오피스텔이었다. 월세와 관리비가 부담스러웠지만 감수하기로 했다.

폭풍 검색 끝에 찾은 곳은 대로변에서 바로 한 건물 뒤에 있는 오피스텔이었다. 앱 정보에 의하면 총 12층에 층마다 보안장치가 되어 있었고 지은 지 삼 년밖에 안 돼 신축이나 마찬가지였다. 또, 시청 바로 맞은편이라 명목상 시청 직원인 내가 서류 관련 업무로 종종 드나들기에도 안성맞춤이었다.

봄비가 부슬부슬 내리는 날 우산을 받쳐 들고 오피스텔 건물 일 층의 공인중개사 사무소로 향했다. 나는 중개사와 방을 둘러보는 동안 어수룩해 보이지 않기 위해 화장실과 수도, 창틀 같은 것들을 꼼꼼히 살펴보는 척했지만 사실 좁고 구조가 똑같은 방들의 차이점을 알 수가 없었다. 몇 군데를 보고 나니 각 방에서 인상적이었던 점들-예를 들어 화장실 문 앞의 무지개 모양 깔개라던가 방 한쪽에 무덤처럼 마구 쌓아놓은 옷가지들, 혹은 가구도 없이 텅 빈 공간에 덜렁 깔려 있는 매트리스같이 쓸데없이 눈에 띄던 것들-이 머릿속에서 한데 뒤섞여 버리고 말았다. 문득 난감해져 마음에 드는 두 곳이 있는데 어디로 할지 좀 더 고민해 보겠다고 대충 얼버무린 후 건물을 나왔다.

그리고 또 며칠의 고민이 이어졌다. 아무리 생각해도 들어가 살 장소에 대해 확신이 없었다. 몇 층의 어떤 위치가 좋은지 어떤 방의 컨디션이 제일 좋았는지 가늠할 수가 없었다. 그저 복도에 촘촘히 늘어선 현관문을 열 때마다 어지럽고 낯선 광경에 흠칫흠칫 놀란 기억뿐이었다. 결국 달리 뾰족한 수가 떠오르지 않아 제일 끝 집을 선택했다. 그나마 옆방과 붙어 있는 벽이 한 면뿐이라 소음차단에 유리할 거라는 계산이었다. 잘한 결정이었는지는 계약하는 순간에도 확신할 수 없었다. 다만 아침에 집을 나서기 전 지푸라기라도 잡고 싶은 심정으로 찾아본 오늘의 운세에 기대는 마음이었다. 오늘의 운세에는 고맙게도 문서를 쥐기 좋은 날입니다, 라는 희망적인 메시지가 떠 있었다. 떨리는 마음으로 집주인을 만나 임대차 계약서에 사인을 하고 계약금을 이체했다.

중개사가 투명 파일에 담아 준 계약서를 들고 밖으로 나온 후에야 나는 새집의 주소와 내 이름이 함께 적힌 그 문서를 다시 들여다보았다. 두려움과 설렘이 동시에 밀어닥쳐 어찌할 바를 모르다 길거리 한복판에 서서 휴대폰으로 계약서 사진을 찍었다. 배가 고팠지만 속이 울렁거려 뭘 먹을 수가 없을 것 같아 근처 스타벅스로 들어갔다. 그리고 시작한 지 얼마 안 된 인스타에 게시물을 올렸다. 그제야 내 삶에 뭔가 변화가 생겼구나 어렴풋한 실감이 느껴졌다. 잘 살 수 있을까? 하지만 그런 고민은 이미 물 건너가 버린 후였다. 나는 일곱 겹 초콜릿 크림이 발린 케이크와 커피를 마시며 입안 가득 고민을 열심히 녹여 없앴다.

이혼이라기보다 독립

"네가? 도대체 왜!"

남편과 이혼하기로 했다는 말에 가족들은 그렇게 되물었다. 다른 사람이면 몰라도 내가 그럴 줄은 몰랐다는 반응이었다. 특히 나의 엄마는 일생일대의 배신을 당한 사람의 표정으로 분노를 쏟아냈다. 엄마의 한탄 속에서 나는 잘난척하느라 스스로 신세를 망친, 인생의 실패자, 남들 앞에 내놓기 창피한 딸이 되어버렸다. 남편과 부모님 사이가 각별했으므로 어느 정도 각오한 일이었지만 도대체 왜? 라는 질문에는 답할 도리가 없어 막막했다. 마음속에서는 이혼이 아니라 독립이라고! 하는 풀죽은 외침이 웅웅댔지만 결국 한마디도 하지 못했다. 엄마에게는 무슨 말을 해도 변명처럼 들릴 것 같았다. 시댁에 빚 문제가 있었지만 신혼 삼사년을 제외하면 남편과 크게 다툰 일도 없었고 그렇다고 한쪽이 이혼당할 만한 잘못을 저지른 것도 아니었기 때문이다.

그러나 우리는 가족과 아이의 눈을 피해 거의 매일 치열하게 싸웠다. 남편의 회식이 유난하던 시절엔 수시로 그를 의심하고 괴로워하기도 했다. 이혼 이야기가 나온 후 안 일이지만 놀랍게도 남편 역시 나에 대해 같은 마음으로 한참 힘들었다고 고백했다. 나는 결혼 한 달 만에 아이를 가졌다. 그 후로는 줄곧 혼자일 틈 없이 아이를 돌보고 살림과 일을 병행했다. 당시에는 그런 내게? 하는 의문과 억울함이 울컥 솟아 남편에게 화를 냈다. 그렇지만 마음이 한풀 가라앉고 나자 그에게 설명하지 못한 채 기를 쓰고 붙잡고 있던 내 안의 어떤 것을 돌아보게 되었다. 실체는 없지만 내내 나를 장악하고 있는 그것을 남편도 어렴풋이 느끼고 있었던 것이다.

아이가 아주 어렸을 적 대상포진에 걸린 적이 있다. 처음엔 등이 가렵고 아프더니 옷이 닿기만 해도 심하게 쓰라렸다. 그냥 그러다 말겠지 하던 중 아이 예방접종을 하러 간 병원에서 우연찮게 병명을 알게 되었다. 의사는 펄쩍 뛰며

당장 치료를 받아야 한다고 호통쳤다. 당시에 나는 하루 종일 내게 매달려 있던 아이가 잠들고 나면 밤마다 방통대 강의를 들었다. 혼자 있는 시간이 너무나 아깝고 소중해서 허기진 사람처럼 허겁지겁 책을 읽고 과제를 했다. 자주 깨는 아이 때문에 때론 30분 때론 10분도 채 되지 않는 시간을 쪼개 써야 했지만 그마저 하지 않으면 내가 사라져버릴 것 같은 공포를 느꼈기 때문이다. 치료가 끝난 후 약 봉지를 든 채 유모차를 끌고 돌아오는 길에 생크림이 잔뜩 든 빵을 하나 사 먹었다. 그게 어찌나 달고 맛있던지……. 돈이 있어도 없어도 나를 위한 지출은 일단 접어두고 보던 시절이었다. 어쩌면 나의 이혼이자 독립은 그때부터 시작된 것일지 모르겠다.

돌이켜보면 남편은 자기 전 내게 "도망가지 마."라는 말을 굉장히 자주 했다. 어려서부터 혼자 자는 습관이 있었던 내가 결혼해서 남편과 함께 자는 걸 힘들어했기 때문이었다. 그러다 아이가 생기고 나서는 자연스럽게 따로 자게 되었다. 하지만 그럴 필요가 없어진 후에도 나는 틈만 나면 서재방으로 숨었다. 일을 핑계로, 책을 읽는다는 핑계로, 대학원 과제를 핑계로……그야말로 핑계일 뿐인 것들로 방에 들어가 혼자 있었다. 언제든 뛰어나가 남편과 아이를 챙겨야겠다는 생각으로 문밖의 인기척에 귀를 곤두세우고 있으면서도 그렇게까지 혼자만의 시간이 필요한 걸까. 스스로도 납득할 수 없는 이유 때문에 이혼하기 몇 달 전까지만 해도 나는 무척 고민했다. 만약 남편이 이혼을 원하는 것이냐고 묻지 않았다면 아직도 혼자 끙끙 앓고 있었을 것이다.

한때 힘든 시기가 있었지만 부부로서 잘 헤쳐나왔고 행복한 시간이 점점 늘어났으며 아이는 스무 살이 되던 해였다. 더 이상 가족 문제로 애쓸 일이 없었다. 문제는 나 하나였다. 남편은 입버릇처럼 내게 그간의 고생을 보상해 주고 싶다고 했고 이미 충분히 그러고 있었다. 하지만 그럴수록 나에게 보상은 그가 아니라 나 자신이라는 사실이 선명하게 느껴졌다. 그걸 어떻게 설명해야 할지 도무지 엄두가 나지 않았다. 이십 년을 같이 산 사람에게 사실 당신은 내게 의미 없는 사람이라고 말하는 것과 다름없는 일 같았다. 그는 노력하고 있고 덕분에 모두가 행복한 와중이었다.

남편은 내게 잠시 혼자 살아볼 것을 제안했고 나는 거절했다. 법적으로 혼자가 되지 않는 이상 내가 짊어진 며느리, 딸, 아내로서의 책임은 그대로 남아 있을 것이기 때문이었다. 누구의 눈치를 보거나 죄책감 느끼지 않고 나에게 몰두하는 상태. 이혼이라기보다 독립이라고 생각해달라는 간곡한 부탁에 남편은 고개를 끄덕였다. 그런 이야기를 나누던 밤 우리는 마주 앉아 무척 울었다. 그리고 서로 애썼다, 고맙다, 응원한다는 말로 이혼을 시작했다.

아직은 그들의 공간

이혼 절차는 생각보다 간단했다. 남편과 나는 법원에서 서류를 접수한 후 자녀 양육에 대한 동영상을 시청하고 질문지에 답을 적어 제출했다. 원래는 2회 정도 출석 교육을 해야 하는데 코로나 시기와 맞물려 간소화된 것이다. 생일이 늦은 딸아이가 아직 만 이십 세가 되지 않아 숙려기간 삼 개월이 걸렸다.

걱정했던 아이는 고맙게도 나의 독립에 긍정적인 반응을 보여줬다. "엄마, 인생은 한 번뿐이니까. 하고 싶은 거 꼭 해봐." 라고 말하며 오히려 나를 격려했다.

그리고 다시 법원. 번호표를 받고 순서를 기다리다 판사 앞에서 협의이혼 의사표시와 재산분할 및 양육비 등에 대한 확인을 마친 뒤 구청에 가서 신고를 했다. 오피스텔 계약을 할 때까지만 해도 오로지 내 힘으로 해 나가는 일이 스스로 못미덥고 걱정스러웠는데 모든 게 순조로웠다. 결심을 하기까지의 고민이 무색할 정도로 막상 벌여놓은 일들은 알아서 저절로 굴러갔다.

마침내 5월의 첫날, 나는 커다란 백팩에 청소도구를 잔뜩 짊어지고 오피스텔로 향했다. 복비와 잔금을 치르고 설레는 마음으로 내 방이 될 곳의 문을 열자 빛이 쏟아져 들어오는 휑뎅그렁한 공간이 나를 맞았다. 아직 낯선 그곳에 탐험하듯 조심스럽게 발을 들여놓고 가방을 뒤졌다. 보통 이사를 하면 어른들은 가장 먼저 밥솥을 들여야 한다고 당부를 했었고 매번 그 말을 따랐지만 이번은 아니었다. 며칠간 나의 첫 공간에 첫 물건으로 무엇을 들일까 고심했기 때문이었다.

창가 바로 아래 책상 놓을 자리에 앨리스 먼로의 『행복한 그림자의 춤』 한글판과 영문판, 그리고 거울을 나란히 놓았다. 나는 아주 신성한 의식을 행하듯 조심스럽게 바닥의 먼지를 후 불어내고 그것들을 놓으며 잠시 심호흡했다. 이곳에서 내가 하고 싶었던 일과 하게 될 일들이 떠올라

가슴이 벅차올랐다. 그 순간의 기분을 잊지 않기 위해 사진을 찍고 청소를 시작했다. 창문을 열고 먼지를 털어낸 후 세제 푼 물을 걸레에 적셔 구석구석 닦아냈다. 오전에 시작해 해가 뉘엿뉘엿 질 때까지 일했지만 배가 고프거나 힘들지 않았다.

소설을 쓰기로 마음먹은 후 가장 먼저 좋아했던 작가가 앨리스 먼로였다. 한글판이 너무 좋아 원문을 읽어보고 싶은 마음에 영문판을 구매했지만 채 두세 장도 못 읽고 부적처럼 쓰다듬기만 하는 중이었다. 소설집에는 '작업실'이라는 단편이 있다. 작가이자 주부인 주인공이 작업실을 얻은 후 건물 주인인 남자로부터 폭력적인 시달림을 받다 결국 방을 빼는 내용이었다. 예나 지금이나 '혼자인 여성'이라는 건 꽤나 불리한 조건이라는 사실은 변함이 없었고 나는 이제 그 조건을 갖춘 사람이 되었다.

실제로 독립을 시작한 후 혼자 힘으로 잘 해낼 수 있다고 믿는 것은 나 혼자뿐이라는 생각을 수없이 했다. 특히 남편은 이삿짐을 옮기는 것에서부터 가구를 들이고 정리하는 과정에 모두 관여하고 싶어 했다. 포장이사를 하면 시간과 노력을 절약할 수 있다는 나의 말에도 그는 꿈쩍하지 않았다. 그로서는 나를 위해 큰 결심을 한 상황이었으니 마냥 매정하게 거절할 수 없었다. 부모님 역시 마찬가지였다. 남자 없이 혼자 어떻게 지낼 것인지, 안전은 어떻게 지킬 것이며 무거운 것을 매달고 옮기는 일, 하다못해 작동하지 않는 현관 센서등은 어떻게 해결할 것인지까지 걱정하는 모습이었다. 나는 '작업실'의 그녀처럼 누구의 눈에도 띄지 않게 조용조용 모든 일을 진행하려고 애썼다. 기다렸다는 듯 "그러면 그렇지 네가 혼자서 어떻게……."라는 말을 듣지 않기 위해서였다. 어쩌면 가족들은 내가 스스로 항복하고 원위치로 되돌아오길 기대하는 건지도 몰랐다. 그런 생각을 하면 때때로 외로웠다. 실은 혼자인 나에게 누군가 해코지

할까 두려운 것보다 그게 더 힘들게 느껴지곤 했다.

그러나 독립 후 한 달, 예상 못 한 어려움에도 나는 그럭저럭 잘 해내고 있다. 퇴근해서 현관문을 열면 고요하고 아늑한 공간이 어둠에 잠긴 채 나를 맞는다. 오로지 내 물건들로만 채워진 공간이다. 물론 아직까지 완전히 내 공간이라고 할 수는 없다. 아직은 가족들의 공간이다. 그들은 한동안 이곳을 수시로 드나들며 나의 생활을 점검할 것이다. 틈틈이 나를 닦달하고 회유도 할 것이다. 흔들림 없이 이겨내기로 한다. 옷을 갈아입고 손발을 씻은 후 창가에 길게 놓인 책상 앞에 앉아 책을 읽고 글을 쓴다. 그새 제법 여유가 생겨 모두의 걱정 속에 느긋한 사람은 오직 나 하나뿐이라는 생각에 슬쩍 미소 짓기도 한다. 누가 알까. 힘든 시간이 지나고 나면 이토록 충만한 기쁨을 가족과 함께 누리게 될지.

끈기 있게 나를 믿어주는 연습

피가 뚝뚝 떨어지는 왼손을 붙잡고 119에 전화를 걸었다. 이렇게 적나라한 피도, 구급대원과의 통화도 난생처음이었다. 전화가 연결되자 소방서에서 위치 정보를 확인했다는 메시지가 떴고 구급대원은 놀란 나를 진정시키며 차분하게 현재 어떤 상태인지, 혼자 움직일 수 있는지 등을 물었다. 대답이 두서없이 튀어나왔다. 주소가 생각나지 않아 겨우겨우 오피스텔 이름을 대고는 "피가 안 멈춰요!"를 반복해서 중얼거렸던 것 같다.

다치기 직전까지는 그럭저럭 평범한 저녁이었다. 나는 퇴근 후 대충 씻고 한동안 미뤄뒀던 책을 읽으려고 꺼냈다.

그런데 이상하게 글이 도통 눈에 들어오지 않았다. 일주일이면 끝날 줄 알았던 짐 정리에 꼬박 한 달을 썼는데도 뭔가 덜 끝난 느낌과 이럴 때가 아닌데 싶은 조급함이 동시에 머리를 어지럽혔기 때문이다.

때마침 화장실에서 후두둑 떨어지는 소리가 들렸다. 청소용 솔들을 걸어둔 스테인리스 봉이 무게를 이기지 못하고 떨어진 것이었다. 양면테이프로 붙여두었던 걸게는 이미 몇 번 붙였다 떨어지기를 반복한 터였다. 울컥 짜증이 솟았다. 하룻밤 기다렸다가 좀 더 튼튼한 걸이를 사든지, 아니면 접착력이 좋은 테이프를 사다 붙이면 될 일을 어떻게든 당장 해결해야겠다는 오기가 발동하고 말았다. 쪼그리고 앉아 빨대처럼 길다란 스테인리스 봉의 한쪽 끝을 짝이 맞지 않는 브라켓의 좁은 구멍에 대고 있는 힘껏 밀었다. 쉽게 들어가지 않았다. 힘을 더 주었다. 순간 각도가 살짝 틀어진 봉이 미끄러지며 엄지와 검지 사이를 찌르고 말았다.

날카로운 절단면이 내 힘을 그대로 실은 채 살을 뚫고 들어오는 게 슬로우 비디오처럼 눈에 들어왔다. 작은 동굴처럼 깊게 뚫린 상처에서 피가 흘러나오기 시작했다. 급한 대로 휴지를 둘둘 말아 눌렀지만 지혈이 되지 않았다. 병원에 가려고 허둥대며 현관까지 갔다 혼자 찾아갈 일이 까마득해 도로 들어왔다. '가족들에게 연락할까?' 하지만 내가 다쳤다는 말에 그들이 더 놀랄 것같았다. 그렇게 어찌할 바를 몰라 우왕좌왕하는 사이 현기증이 났다. 때마침 119가 떠올랐다. 이 밤에 이런 걸로 전화해도 되나 싶은 생각이 잠깐 스쳤지만 달리 방법이 없었다. 상처 난 손을 덜덜 떨며 1.1.9를 눌렀다.

몇 분 만에 도착한 구급대원은 고맙게도 나를 가장 가까운 병원에 데려다주고 치료받을 수 있도록 조치해 준 후 떠났다. 혼란한 응급실 분위기에 질려 고맙다는 인사도 못 한 채 치료실로 들어갔다. 다행히 신경이나 인대는 무사하다고 했다. 마취 후 상처를 꿰멘 뒤 항생제와 파상풍 주사까지 맞고 택시를 타고 돌아왔다. 터덜터덜 복도를 걸어 현관문을 여니 그제야 환한 불빛에 옷과 팔다리, 방바닥에 어지럽게 묻은 핏자국이 보였다. 서랍에서 물티슈를 꺼내 바닥을 닦고 옷은 세탁기에 집어넣었다. 화장실에는 피 묻은 스테인리스 걸게가 흩어져 있었다. 보는 것만으로 다친 곳이 아린 느낌이 들었지만 대신 치워줄 사람이 없었다. 그것들을 보지 않으려 노력하며 한데 모아 재활용 봉투에 집어넣었다. 그러면서 실감했다.

'아, 이제 정말 혼자구나.'

그러고보니 다치던 순간에도 '아프다'가 아니라 '큰일 났다'하는 생각이 먼저 머리를 스쳤었다. 그건 가족의 도움 없이 감당해야 할 상황을 감지한 무의식의 비명이었을 것이다. 그렇다. 나는 이제 정말로 혼자가 된 것이다.

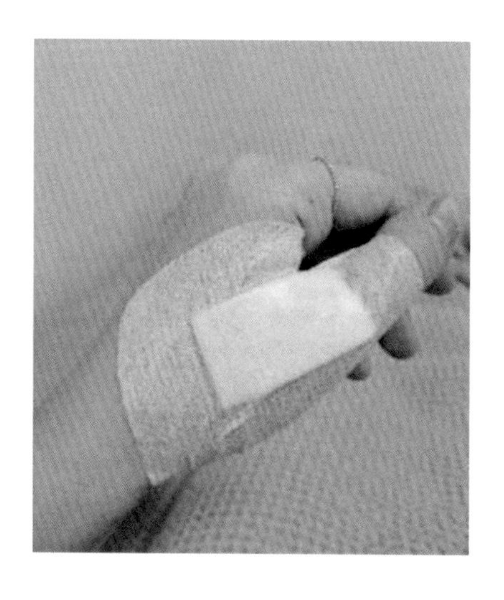

독립을 준비하는 동안 일반적인 밥벌이 생태계를 떠나 자신만의 길을 개척한 밀레니얼 세대 10명의 인터뷰집을 주제로 한 북클럽에 참여한 적이 있다. 북클럽에는 호스트를 제외하고 내가 제일 연장자였다. 어색함과 두려움, 설렘을 안고 자리에 앉았다. 인터뷰이들과 같은 세대는 어떤 생각을 하며 책을 읽었을까, 어쩌면 그들만의 독창적인 시도를 하고 있지 않을까, 하는 궁금증이 일었다. 그러나 이야기가 계속될수록 나는 그들에게서 과거의 나와 비슷한 점을 조금씩 발견할 수 있었다. 나름대로 어떤 시도를 하고 싶으나 생계의 무게를 바닥에 깔고 있거나, 시도 하다가 포기하는 대신 좋아하던 분야에 소소하게 지원 혹은 후원하는 방식을 택하거나, 아예 시도할 엄두도 못 내고 부러워하거나. 특히 공통적으로 자신이 좋아하는 일보다 경제적, 사회적으로 성장 가능한 일에 관심이 높았다. 꿈에 올인이라니 허황되게……. 젊은 참석자들은 의외로 인터뷰이들이 꿈과 직업의 균형을 잘 맞춘 극히 성공적인 일부 사례라는 거리감을 가지고 있었다. '맞아, 그랬지.' 이십대로 돌아가기만 하면 못할 게 없을 것 같다는 생각은 그저 생각일 뿐이었다. 그들도 그들 나름의 전쟁을 치르는 중이었다. 결코 녹록치 않으며 언제, 어떻게 끝날지, 승리할 수 있을지도 알 수 없는 맹목적인 전투.

결국 읽으려던 책은 읽지 못하고 잠자리에 누워 곰곰이 생각했다. 만약 내가 이십 대였다면 마음이 좀 더 편안했을까. 꼭 그렇지는 않았을 것 같다. 삶은 나이나 환경보다는 선택의 문제이고 그 선택을 끝까지 지켜나가는 건 나니까. 결국 나의 문제 아닐까. 독립하며 가족들에게 하고 싶은 일을 하며 살면 그걸로 행복할 거라고 큰소리쳤지만 사실 마음속으론 너무 무모한 짓 아닐까, 이러다 아무 성과도 못 내고 실패하면 그 초라함을 견딜 수 있을까 하는 의심을 지울 수 없었다. 나에게 일어난 사고는 뒤늦은 시작이니 보란 듯이 성공해야겠다는 조바심 혹은 자격지심이 일으킨 것이나 마찬가지였다. 불확실한 것을 얻기 위해 싸우는 이십 대와 이미 가진 것을 내려놓기 위해 싸우는 나는 어쩌면 비슷한 적과 마주하고 있는지 모른다. 또 그것을 이겨낼 방법도 생각보다 간단할지 모른다. 복잡한 계산이나 의심을 내려놓고 나 자신을 끈기 있게 믿어주는 것, 그런 연습을 하는 것 말이다. 오늘 밤처럼 혼자서도 씩씩하게.

JAZZ ME UP!

지난 두 달간 눈에 띄는 변화 없이 무척 진 빠지는 시간을 보냈다. 오랜 결혼생활을 정리한다는 게 큰 사건이긴 했지만 마음의 준비야 이전부터 차곡차곡 해온 터였다. 그럼에도 따로 공간을 얻고 짐 정리만 마치면 금방 새로운 생활을 시작할 수 있으리라는 기대는 빗나갔다.

첫 한 달은 그야말로 폭풍같은 이사의 시간이었다. 나는 옷가지와 책들을 새집으로 옮기고 가구와 살림살이를 들여놓으며 크고 작은 사고를 치르기도 했다. 그러고 나서 가족들(부모님, 남편, 딸)을 차례로 불러 간단한 집들이를 했다. 특히 딸에게는 마음이 많이 쓰여 집에 몇 번 더 데려와 재웠다. 환경이 변했지만 엄마와 딸로서의 관계는 여전할 거라는 안정감을 주고 싶었기 때문이다. 우리는 침대에 함께 누워 새로 장만한 빔프로젝터로 영화를 보고, 맛있는 음식을 만들어 먹고, 앞으로의 계획에 대해서도 이야기를 나누었다. 자신의 꿈을 이루기 위해 재수를 선택한 딸과 나는 상황적인 공통점이 있어 마치 친구처럼 서로에게 위로와 힘이 되었다.

대충 정리가 다 끝났다 싶었는데 이번에는 아빠 생신과 엄마 칠순이 연달아 다가왔다. 해마다 봄에서 여름으로 넘어가는 시기는 어버이날과 두 분의 생신, 시아버님 제사로 분주했었다. 올해는 제사가 빠지긴 했지만 엄마 칠순에 맞춰 이혼한 딸로서 마음의 부담이 적지 않았다. 형제, 자매들과 조카들 얼굴을 보기도 어쩐지 머쓱해서 오히려 더 너스레를 떤 것도 같다.

그렇게 첫 한 달은 내 공간을 돌보는데, 두 번째 달은 주변을 돌보는데 에너지를 쏟고 나니 더워진 날씨와 함께 나는 완전히 지치고 말았다. 며칠간 하릴없이 침대에서 뒹굴거리며 휴대폰만 만지작대던 때 마을 커뮤니티에서 주최하는 재즈 워크샵 공고가 눈에 확 들어왔다. 워낙 무미건조한 성격이라 재즈는커녕 음악조차 잘 듣지 않던 나로서는 무척 의외의 결정이었다. 아마 지친 스스로를 위해 색다른 선물을 해보자는 심리였던 것 같다. 독립을 하고 달라진 점이 있다면 그런 것이다. 나에게 필요한 것을 찾을 때 가족의 욕구를 우선하지 않아도 된다는 것. 어쨌든 다소 충동적인 결정을 하고 나니 재즈에 대해 까막눈이나 다름없는 내 상태가 자각되었고, 그런 상태로는 워크샵에 참여해도 음악을 제대로 즐길 수 없을 것 같아 도서관을 찾았다.

처음엔 음악 전문 서적 정도는 읽어줘야지 하는 마음으로 점잖게 서가를 서성였다. 그러다 어느 순간 슬금슬금 학습만화 쪽으로 손을 뻗기 시작했다. 세 권짜리『JAZZ IT UP』이라는 책이 눈에 띄었다. 만화라면 질색하는 엄마를 피하는 아이처럼 괜히 눈치 보며 대출을 하는데 친절한 사서분이 "부록자료 있는데 챙겨드릴까요?" 하고 물었다. 당황하여 "네."하고 대답하고 냉큼 책과 자료를 받아 들었다. 부록자료는 책에 소개된 재즈 음악이 담긴 CD였는데 도서관 문을 밀고 나와서야 나에게 시디플레이어가 없다는 사실을 떠올렸다. 어이쿠 이런! 나는 CD대신 유튜브로 재즈 음악을 찾아 듣고 넷플릭스로 마일스 데이비스의 다큐 영화를 보면서 워크샵에 대한 기대를 키웠다.

드디어 첫 시간. 다소 긴장한 상태로 나는 공부하러 온 사람처럼 요약 노트와 펜을 테이블에 가지런히 펼쳤다. 호스트는 웃으며 편안히 음악을 즐기라고 조언해 주었다. 하지만 그게 그렇게 어려울 줄이야. 다들 고개를 까닥이며 음악에 빠져드는 동안 혼자 어색함을 털어내려 무척 애를 썼다. 그래도 아주 천천히, 조금씩이지만 재즈를 맛볼 수 있었다.

워크샵이 끝난 후 나는 집까지 걷기로 했다. 호스트가 추천해 준 플레이리스트와 어두운 거리를 부드럽게 밝히고 있는 가로등이 꽤 잘 어울렸다. 그 분위기에 젖어 마치 라라랜드의 미아가 된 양 한적한 밤길을 사뿐사뿐 걸었다. 마침 치마도 입고 있었고.^^; 아마 지나가는 누군가는 저런 실없는 아줌마가 다 있나 생각했을지도 모르지만 뭐…그냥 기분이 좋았으니까.

독립을 선언하고 두 달이 지난 그 순간에야 비로소 온전히 혼자 된 나 자신을 느낄 수 있었다. 한밤중에 다쳐 119를 불렀을 때와는 또 다른 혼자인 기분. 사실 아직 남겨두고(?) 온 두 사람을 생각하면 미안한 마음이 솟구친다. 그런 기분은 아마 꽤 오래 지속될 것 같다. 하지만 누구나 자신의 삶을 돌볼 권리 정도는 있는 거니까. 그들도 그들의 삶을 스스로 돌보며 행복해지길 진심으로 바랄 뿐이다. 한 사람에게 일방적으로 기울어진 관계가 아닌 각자 동등한 삶의 무게를 감당하는 것. 그러다 누군가의 짐이 무거워지면 조금씩 나눠 들어 주며 격려하는 관계도 좋지 않을까? 그게 내가 오랫동안 바래왔던 가족의 모습이다.

책을 읽으며 안 사실인데 'jazz up'이라는 단어는 '더 좋게, 재밌게, 신나게'라는 뜻이라고 한다.

그렇다면 나도 즐겁게 JAZZ ME UP!!

*사진출처: '마을상점생활관' 인스타그램

낯선 곳에서 낯설게

본격적인 휴가철이 시작되기 직전 가족과 제주 여행을 다녀오기로 했다. 아이가 태어난 후부터 매해 여름이면 가까운 곳으로라도, 하다못해 한강 야외 수영장으로라도 바캉스를 다녔다. 올해부터는 당연히 각자 휴가를 보내게 될 거라 생각했는데 남편이 제주 여행을 제안했다. 사실 나는 그의 제안이 불편했다. 여러모로 몸이 피곤한 것도 사실이었다. 그냥 며칠 혼자 틀어박혀 잠만 자고 싶었는데 딸이 여태 한 번도 제주에 못 가본 것이 생각났다. 그동안 내가 업무로, 관광으로 여러 번 다녀오는 동안 집에 남은 딸은 감귤 초콜렛이나 많이 사와, 하며 아쉬워했었다. 그래, 지금 아니면 셋이 여행할 일이 또 있겠어? 하는 마음에 여행을 승낙했다.

하지만 그 전에 먼저 정리해야 할 일이 있었다. 바로 호칭 문제. 딸은 원래대로 아빠, 엄마, 라고 부르면 되지만 우리는 아니었다. 이제는 전남편이 된 m을 나는 뭐라 불러야 할까? 원래의 호칭은 이제 쓸 수 없다. OO이 아빠? 그렇게는 한 번도 불러본 적이 없어 어색했다. 게다가 모르는 사람이 우리를 부부라고 오해하면 맞다고 하기도 굳이 아니라고 해명하기도 뻘쭘할 것 같았다. m과 나는 간단한 상의 끝에 서로 이름을 부르기로 했다. 결혼 전에는 친구였으니까. 그리고 앞으로 친구처럼 지내자는 의미로도 괜찮은 결정이었다.

여행은 총 3일. 이전에는 별다른 계획 없이 장소만 정하고 출발하곤 했는데 이번엔 방식을 달리 해보기로 했다. 세 명이 각자 하루씩 맡아 일정을 짜는 것이다.

"어때, 할 수 있겠어?"

딸에게 묻자 딸은 뭘 그런 걱정을 하느냐는 듯 자신 있게 고개를 끄덕였다. 그 후 며칠간 나는 내 집에서, m과 딸은 각자의 방에서 부지런히 여행 일정을 짰다. 우리는 공항에서 비행기를 기다리며 준비해 온 일정표를 서로에게 나눠주었다. 미리 이야기 나눈 것도 아닌데 자연스럽게 m은

미식과 힐링, 딸은 체험과 사진 명소, 나는 4.3유적지 탐방으로 테마가 나뉘었다.

일정표를 보니 기분이 좀 이상했다. 이십 년 동안 같은 집에서 같은 밥 먹고 지낸 우리가 이렇게나 취향이 다른 사람들이었구나 싶은 생각이 얼핏 스쳤기 때문이다. 특별히 모난 곳 없이 하나로 둥글둥글 뭉쳐진 모양이었던 우리는 세포가 분열하듯 서서히 분화를 시작하고 있었다. 떨리고, 두렵고, 어색하면서도 뿌듯한 순간이었다. 물론 이건 나만의 상상일지 모른다. m은 여전히 나를 여보, 라고 불렀다가 이름으로 불렀다가 하며 갈팡질팡했다. 그럴 때마다 그와 나는 무안한 웃음을 주고받았다.

음식에 진심인 m의 메뉴 선정은 훌륭했다. 나무 창이 사방으로 활짝 열린 식당에서 파도 소리와 함께 차려지는 딱새우와 고등어회, 우리 가족 첫 해외 여행지였던 보라카이 분위기를 고스란히 살린 카페의 망고주스, 비자림의 달고 신선한 흙냄새까지 남김없이 먹고 싶을 정도였다. 너무 많이 먹어 불룩해진 배를 두드리며 딸은 기껏 찾아 놓은 사진 명소에서 퉁퉁 부은 얼굴로 흑역사만 남기게 생겼다고 울상을 지었다.

그러고 보면 딸은 여행에서 어김없이 한 번은 크게 울곤 했다. 낯선 냄새와 온도, 음식 같은 것에 민감한 탓이었다. 어릴 적엔 울음으로, 커서는 뾰로통한 침묵으로 내 기운을 쭉 뺐었다. 내가 소화나 시키자며 얼른 딸의 팔을 끌었다. 바닷가를 걷다 보니 붉었던 노을이 청보랏빛으로 변해 있었다. 생각보다 오래 걸은 것 같아 무의식중에 딸을 흘끔 보았다. 딸이 나를 보고 싱긋 웃어주었다.

"우리 내일 뭐 해?"

일정표를 받아 이미 다 알면서도 딸에게 팔짱을 끼며 물었다.

"사람 몰리기 전에 아침 일찍 카약부터 타고 오설록에 갈 거야. 그리고……."

"점심은?"

m이 물었다.

"인스타로 맛있는 집 찾아 놨지. 이따 주소 줄게. 네비에 입력해 두세요."

"아~내게 제일 재미없겠다. 그래도 낙오는 용서하지 않겠어."

"당연!"

그 순간의 우리는 좀 지나치게 밝았다. 생애 첫 무대에 오른 배우가 하는 어설프고 과장된 연기처럼 말이다. 몇 번이나 와 본 여행지가 처음처럼 느껴졌고 늘 함께였던 가족이 새삼 낯설었다.

어쩌면 셋이 함께인 여행은 이번이 마지막일지 모른다. 아닐지도 모르고. 여행을 마치고 돌아가면 우리는 이전과 사뭇 달라진 관계에 적응하기 위해 또다시 애를 써야 할 것이다. 그러나 한없이 이어질 것 같던 딸의 울음이 결국엔 잦아들었듯 낯설음도 잦아들지 않을까. 얼마나 걸릴지 모르지만 그만큼의 시간이 지나고 나면 우리는 어느새 야심 차게 준비한 두번째 일정표를 서로에게 나누어 주고 있을지도 모른다.

행복의 황금비율

코로나로 한동안 만나지 못했던 동료들과 식사를 했다. 나의 이혼을 어렴풋이 알고 있던 그들은 만나자마자 좋아 보인다. 홀가분해져서 그런지 예뻐졌다, 부럽다, 와 같은 말들을 쏟아냈다. 나도 지지 않고 그들에게 칭찬을 쏟아부었다. 길가에 선 채로 왁자지껄한 인사를 주고받은 후 맛있다고 소문난 생선구이집에 자리잡았다. 술을 한 잔 할까 했지만 아직 코로나가 한창이라 짧고 굵은 만남으로 끝내기로 했다.

동료들은 남편과 애들 밥 차리느라 골머리가 아프다며 수선을 떨다가 조심스럽게 정말로 궁금한 이야기를 물어왔다. 아이가 힘들어하지 않는지, 재산분할은 어떻게 했으며 혼자 벌어 먹고 살기에 충분한지, 남편의 반응은 어땠는지 같은 것들이었다. 쉽지는 않았지만 오래 준비해 온 일인 만큼 다툼없이 잘 마무리했다고 심상하게 대답했다. 그런데 이상하게 대화가 길어질수록 마음이 조금씩 불편해졌다. 나는 시아버지 제사와 겹치는 바람에 한 번도 제날짜에 챙기지 못했던 엄마 생신을 챙겼으며, 가끔은 전남편이 반찬거리를 싸서 내게 갖다주기도 하고, 심지어 얼마 전 제주로 가족 여행을 다녀왔다는 말까지 주저리주저리 떠들기 시작했다. 짐 정리를 하다가 다쳤다거나 가끔 새벽에 모르는 사람이 문을 두드리기도 한다는 말 같은 건 쏙 빼고 이혼하니 온통 좋은 것뿐이라는 듯.

그때였다. 맞은편에 앉아 있던 한 동료가 불쑥 목소리를 높였다.

"그게 뭐야, 남편만 불쌍하잖아!"

자신도 모르게 본심이 튀어나온지라 상대는 당황한 듯 뒷말을 흐렸다. 그러나 분위기는 이미 싸늘해져 있었다. 나를 포함한 모두는 조용히 서로의 눈치를 보며 각자 앞에 놓인 생선을 뜯어 먹었다. 나도 노릇하게 익은 고등어구이의 살을 마구 헤집어 입에 넣었다. 평소에 다 먹지 못하던 양을 순식간에 해치우고도 동료의 눈을 똑바로 보지 못하고 후식으로 먹을 매실차를 가지러 일어났다. 남들의 시선이야 어떻든 신경 쓰지 않을 줄 알았건만 막상 현실에서의 내 모습은 그다지 쿨하지 못했던 것이다.

식사를 마치고 차를 마시면서 잠깐의 삐걱거림으로 어색해졌던 분위기를 바꾸기 위해 새로운 대화가 시작되었다. 주로 자식과 남편, 집에 관한 것이었다. 언제나 그렇듯 푸념 같지만 결국 은근한 자랑으로 맺어지는 이야기들. 결혼기념일에 남편이 사준 목걸이와 좋은 대학에 들어간 아들, 우연히 투자한 집 시세가 2억이나 올랐다는 소식. 그러나 자랑이 아님을 확인시키기 위해 곧 "오르면 뭐 해. 다른 집들도 다 올랐는걸."하는 푸념으로 다시 돌아가곤 하는 그런 이야기들이었다. 그 틈바구니에서 아무 말도 하지 않을 수는 없었기에 나도 한마디 했다.

"저는 오피스텔 살면서 틈틈이 임대아파트 청약 넣어 보게요. 어차피 저금은 하기 힘드니까 그때그때 앞가림만 할 수 있으면 감사하죠 뭐."

그러자 집값이 올랐다는 동료가 말했다.

"자기는 글 쓰잖아. 잘 되면 그게 노후 준비지 뭐. 안 그래? 나는 그럴 능력이 없어서 아등바등하는 거야. 하여간 부러워."

나를 배려한 그의 말에 고마워해야 할지 씁쓸해해야 할지 고민하다가 쑥스럽게 웃고 말았다. 잠깐이지만 그런 고민을 했던 나 자신이 조금 측은했다. 덕분에 그들과 헤어지고 내내 기분이 찜찜했다. 그들이 나를 어떻게 생각할까 신경 쓰였고, 그것에 신경 쓰는 내가 못마땅했으며, 허물없이 지내던 이들에게조차 솔직한 마음을 털어놓지 못하는데 다른 사람들과는 오죽할까 싶어 아득했다. "나만 행복하면 됐지."의 나가 정말 순수하게 나만을 포함하는 것인지도 미심쩍었다.

사막이 아름다운 건 어딘가에 우물을 감추고 있기 때문이라는 〈어린왕자〉의 유명한 구절처럼 정말로 아름다운 건 눈에 보이지 않는다. 그렇지만 어린 왕자가 애지중지 돌보았던 장미가 그랬듯 남에게 보이고 인정받음으로써 느끼는 행복감도 무시할 수는 없다. 누가 묻지도 않은 일상을 sns에 올리고 '좋아요'의 갯수를 헤아리는 마음처럼 말이다.

결혼생활을 하며 행복이 어떤 조건을 담보로 해서 이루어질 수 없다는 걸 알았기에 사실 나는 조금 자신 있었다. 남에게 보여 줄 게 없어도 그저 나로 인한 충만함이 있으리라는 희망으로 시작한 독립이었기 때문이다. 하지만 세상을 혼자서만 살 수 없으니 나 역시 끊임없이 마주치는 주변의 시선으로부터 완전히 자유로울 수는 없었다. 꼭 그들의 인정을 받아야 하는 건 아니지만 적어도 어느 정도는 납득시키고 싶은 마음. 그래야만 불편함이 사라질 것 같다는 생각. 결국 행복이라는 개념 안에는 나뿐 아니라 타인이 차지하는 지분도 꽤 된다는 걸 인정할 수밖에 없었다.

집에 돌아와 술과 거품의 황금비율을 구현했다는 맥주를 마시며 생각했다. 행복에도 황금비율 같은 게 있지 않을까. 나와 타인, 어느 한쪽으로 치우치지 않으면서 최고의 행복감을 느낄 수 있는 어떤 지점이나 비율 같은 것. 만약 그런 게 있다면 찾아내기가 쉽지는 않을 것같았다. 금세 얼얼하게 취한 나는 묵직하게 가슴을 누르는 숙제를 껴안은 기분으로 억지 잠을 청했다.

아직도 장래희망이 있다

"무슨 일 하세요?"

가끔 그런 질문을 받으면 "회사 다녀요." 하고 대답한다. "어떤 회사……"라고까지 물으면 조금 뜸을 들이다 "그냥 회사요. 일반 사무직이에요."라고 말하고 더는 대답하지 않는다. 사무직은 그냥 사무직이다. 업무 내용은 다를지 몰라도 진행 과정은 어느 곳이나 지루할 만큼 비슷하다. 대답을 들은 상대는 질문에 대한 궁금증이 미처 해소되기도 전에 의욕을 잃는다. 설명하지 않고 눙치기, 치사하지만 그게 나의 전략이다. 변명을 하자면 이십여 년간 거쳐온 많은 직업 중 딱히 일이라 꼽을 만한 것이 없으니 어쩔 수 없는 선택이다. 한 가지 일을 오래 해온 사람이라면 좀 다를까? 적어도 무슨 일을 하느냐는 물음에 망설임 없이 답할 수는 있을 것 같다. 삶에 명쾌한 부분을 가지고 있다는 건 부러운 일이다.

나의 첫 직장은 인테리어 회사였다. 원래 주방가구로 유명한 기업이었는데 때마침 인테리어 쪽으로 사업을 확장하는 중이었다. 3박 4일에 걸친 신입 연수를 수석으로 마친 덕에 압구정과 신사동 지역을 관리하는 지점으로 배치되었다. 그곳에서 1~2년 현장경험을 쌓은 후 본사로 발령받을 예정이었다. 하지만 1년은커녕 한 달도 채우지 못하고 무단결근과 함께 퇴사하고 말았다. 일방적인 퇴사 전화에 담당자는 이렇게 무책임한 경우가 어딨느냐고 길길이 뛰었고 나는 사직서마저 팩스로 보내겠다고 고집을 피웠다. 일이 힘들었던 건 아니었다. 단지 어떤 낯섦 때문이었는데, 가령 IMF로 나라 전체가 휘청이는 중에도 평당 몇백씩 하는 바닥재가 예사로 쓰이는 현장이나 클라이언트에게 가족보다 살갑게 안부 전화를 한 후 "이게 다 돈이야." 하며 웃던 지점장의 싸늘한 미소 같은 것들. 짧은 순간이었지만 그런 것들에는 도저히 가까워질 수 없는 낯섦이 있었다. 돌이켜보면 그때의 퇴사는 거부라기보다 포기에 가까웠다.

생애 첫 직장에서 맥없이 도망쳤다는 패배감은 나를 어느 곳에도 정착하지 못하게 만들었다. 어지간한 전문직이 아닌 이상 영업이 기본 옵션이었던 당시 사회 분위기도 한몫을 했다. 영업은 일시에 바닥으로 추락한 경제주체들이 수직상승할 수 있는 가장 빠른 수단이었다. 곳곳에서 영업왕에 대한 책과 기사가 신화처럼 떠돌았다. 그즈음 함께 졸업한 대학 동기들은 분위기에 적극 합류하거나 편입 혹은 대학원 진학 중 하나로 방향을 정했다. 이도 저도 할 수 없었던 나는 서비스직과 단순 근로직을 전전할 수밖에 없었다.

결혼 후에는 상황이 좀 더 안 좋아졌다. 안정적으로 육아를 도와줄 사람이 없어서 직종 선택의 난이도가 한층 높아진 탓이었다. 그렇다고 마음 놓고 쉴 형편도 아니었다. 짧고 굵게 할 수 있는 일을 찾아 유목민처럼 일터를 떠돈 끝에 돌잔치 풍선 장식 일을 시작했다. 풍선 장식은 초기 투자 비용만 조금 들이면 이윤이 꽤 쏠쏠하게 남았고 시간 활용이 비교적 자유로웠다. 어쨌든 자영업이기 때문이었다. 돈의 맛은 생각보다 달콤했다. 돌아서면 얼굴도 기억 못 할 아기에게 사랑스러워 죽겠다는 표정으로 웃어줄 수 있을 만큼. 사탕에 달라붙은 개미처럼 풍선에 매달려 있던 나는 대상포진에 걸리고 나서야 마지못해 일을 그만두었다.

이후로 재택근무가 가능한 논술 첨삭을 시작했다. 지금은 대기업이 된 입시학원에서는 매월 어마어마한 수의 학생이 논술 모의고사를 봤다. 나는 3~4일 간격으로 부업 일거리 떼오듯 2000자 원고지 뭉치를 받아와 빨간 플러스펜으로 첨삭을 했다. 서면 첨삭이 끝나면 일주일간 노량진이나 대치동 학원으로 대면 첨삭을 나갔다. 대치동에서 종종 어디 한번 가르쳐보라는 듯 다리를 꼬고 틱틱대는 학생과 만났다. 그의 손목에서 번쩍이는 명품 시계를 보면 여지없이 첫 직장의 기억이 떠올랐다. 하지만 이전처럼 낯설다는 핑계로 도망칠 수는 없었다. 결코 익숙해지지 못할 것 같은 일에 익숙해지는 것. 익숙해지다 못해 무감해지는 것. 나에게 일이란 무감함을 체득하는 과정이었다.

아이가 자라며 복잡했던 생활은 단순해졌고 마음에 여유가 생기자 주변이 보이기 시작했다. 그래서일까. 누군가 "무슨 일 하세요?" 하고 물으면 지금까지 해온 모든 일들이 한꺼번에 파도처럼 밀려오는 기분이다. 나는 파도에 밀려 이리저리 떠다니다 구조된 사람처럼 사방을 둘러보며 여기가 어디쯤인지 살핀다. 그러다 출발지에서 얼마나 멀리 떠내려왔는지 가늠이 되지 않아 아득해지곤 한다.

"정규직이긴 한데 일은 다섯 시간만 해요. 시청 직원이지만 근무는 지역아동센터로 하고요. 복지 교사지만 주로 국, 영, 수를 가르칩니다. 무엇보다 정년이 보장되지만 언제 그만둘지 몰라요. 일하는 시간보다 읽고 쓰는 시간이 더 길거든요."

굳이 내가 하는 일에 대해 말하자면 이쯤 되려나. 아무래도 마음에 안 든다. 뭔가 충분치 않은 기분, 혹은 아직 확정되지 않은 걸 선불리 내보이는 기분이다.

센터에서 만나는 아이들은 억지로 표정을 꾸밀 필요 없을 만큼 예쁘고, 때론 한 대 쥐어박고 싶을 만큼 얄밉다. 대학생이 되어서 잊지 않고 찾아오는 아이를 보면 기특하고 고맙다. 하지만 그런 마음이 일을 계속하고 싶게 만드는가 하면 꼭 그렇지는 않다. 나는 아이들이 예쁘건 안 예쁘건 당분간 복지 교사로 있을 것이고 여건이 되면 주저 없이 그만둘 것이다. 언제고 그만둘 수 있는 일은 일이라기보다 생계 활동에 가깝다. 오래 묵은 굳은살을 벗겨내듯 생계 활동을 벗어나 내가 하고 싶은 건 기쁨과 슬픔을 온전히 느낄 수 있는 그야말로 일다운 '일'이다. 그런 의미에서 나에게는 아직도 장래 희망이 있다. 글 쓰는 사람이 되는 것이다. 글 써서 먹고사는 것 말고 글만 써도 먹고 살 수 있으면 좋겠다. 이런! 꿈이 너무 커서 평생 무슨 일 하는지 말 못 할 수도 있겠네.

일희일비

기대를 품고 참여한 재즈 워크샵은 단 2회 만에 코로나 19 단계 격상으로 무기한 연기되었고 더위는 날이 갈수록 극심해져 밤잠을 설치는 날이 이어졌다. 게다가 직장에서는 언짢은 일까지 생겼는데 평소와 달리 감정이 격해져 상대에게 여러 번 짜증을 냈다. 그러다 어느 순간 무기력증에 빠져 만사가 다 귀찮아졌다. 퇴근하고 돌아와 끈적해진 몸을 씻은 후 침대에 풀썩 쓰러지고 나면 도무지 다시 몸을 일으킬 마음이 들지 않았다. 머리로는 조금만 쉬다 쌓아둔 습작 소설을 손봐야지, 자료 정리도 좀 하고, 브런치에 글도 일주일에 한 번은 올리려고 했는데…하면서 초조해했지만 실행에 옮기는 데는 번번이 실패했다.

너무 잦은 실패가 쌓여서인지 나는 그만 뻔뻔해지고 말았다. '쉬면서 왜 죄책감을 느껴야 해?'하는 억울함이 치밀었던 것이다. 그때부터는 아예 대놓고 본격적으로 쉬기 시작했다. 침대에 누운 채 머리맡에 쌓아둔 책을 잡히는 대로 펼쳐 읽거나 휴대폰으로 영화를 봤다. 영화를 보다 연상되는 책이 있으면 찾아 읽고 그러다 또다시 영화로 갈아타기를 반복했다. 그야말로 의식의 흐름대로 지냈다. SNS를 포함한 외부와의 소통도 일거리처럼 느껴져 거의 하지 않았다. 이러다 엿가락처럼 주욱 늘어져 못 일어나는 거 아닐까 하는 불안이 가끔 스쳤지만 요지부동인 몸과 마음을 핑계로 이참에 어디 한번 갈 데까지 가 보자 싶기도 했다.

쉬는 동안 가장 좋았던 점은 누구의 방해도 받지 않고

오로지 내 욕구에 충실할 수 있었다는 거였다. 지금껏 나에게는 그런 시간이 없었기 때문이다. 특히 내 인생의 절반을 차지하는 결혼생활 동안엔 더욱 그랬다. 아이와 함께라는 기본값에 더해 남편과 시댁, 돈 문제로 얽키고 설켜 한시도 마음을 놓을 수 없던 시절. 지금 생각해 보면 그 시간을 어떻게 지나왔나 아연하지만 정작 그때의 나는 힘든 만큼 전투력이 거의 만렙에 치솟은 상태였다. 아이가 없었다면 얘기가 달라졌겠지만 아무리 힘들어도 포기할 수 없는 상황이었기 때문에 선택의 여지가 없었다. 악바리가 되는 것. 삶에는 악착같지만 아이에게는 너그럽고 다정한 엄마가 되어 안정감을 주는 것. 늘 부재중인 아빠의 사랑을 대신 전해주며 아이 모르게 남편과 물고 뜯고 싸우는 것. 극과 극의 상황을 오가며 두 가지가 서로 섞이지 않도록 나 자신을 둘로 쪼개려면 긴장을 늦출 수 없었다. 잠시라도 마음이 약해지면 둘을 갈라놓은 막이 툭 터져 엉망진창이 되고 말테니까.

그래도 젊은 나는 쉽사리 지치지 않았던 것 같다. 오히려 슬프고 고달픈 생활에서 점점이 박힌 기쁨을 발견하곤 했다. 밝고 건강한 딸이 밥상 앞에서 엉덩이를 실룩대며 춤을 추면 깔깔 웃었고 적은 돈이지만 꾸준히 모은 적금이 쌓인 통장을 보며 힘을 냈다. 그때의 나는 한번 슬프면 한번 기뻤고, 반대로 한번 기쁘면 한번 슬프기도 했다. 수많은 일희일비의 날들. 그 안에서 화내고 좌절하다가 그런 자신을 돌아보고, 그러다 가끔 웃기도 할 수 있었던 건 젊음의 미묘한 탄력성 덕분이었다. 고무줄처럼 팽팽하게 당겨졌다가도 본래의 건강함으로 되돌아가는 탄성.

내가 과연 얼마나 놀 수 있을까를 시험하듯 늘어지던 시간이 끝난 건 브런치를 통해 온 제안서를 발견하고서였다. 서울의 한 문화재단에서 웹진 에디터를 부탁한다는 내용이었다. 새벽까지 책을 읽다 잠들어 늦잠 잔 아침이었다. 퉁퉁 부은 눈으로 이틀 전에 온 메일을 확인하다 번쩍 정신이 들었다. 내가 지금 뭐 하는 거지? 이러려고 독립한 게 아닌데, 하고 말이다. 아쉽게도 제안은 거리와 시간문제로 정중히 거절해야 했다. 직장에 매여있는 나로서는 월 1회의 회의와 3회의 취재, 기사 작성을 할 여력이 되지 않았기 때문이다. 그래도 조금 기뻤다. 누군가 구석에 박혀있는 내 글을 용케 찾아내는구나. 그럼 마냥 이러고 있음 안 되겠는데, 까지 생각이 미치자 비로소 한 달여에 걸친 게으름이 끝을 맺었다. 침대와 한 몸이 되었던 나의 생활에 다시 탄성이 붙는 순간이었다. 그래도 지난 한 달은 꽤 유익했다.

아무 걱정 없이, 부담 없이 그야말로 막무가내로 쉴 수 있다는 건 알고 보면 굉장히 행복한 일이기 때문이다. 이제는 아무리 힘들어도 하룻밤 자고 억지로 기운을 내야 하는 삶에서 벗어났으니 조금 천천히 되돌아가면 뭐 어떨까. 어쩌면 지금의 속도가 원래 나의 속도였는지도 모른다.

삶도 직장생활도 경력이 쌓이니 좋은 점이 있다. 많은 일희일비의 순간에 나의 의지를 반영할 수 있다는 점이다. 그래서 앞으로는 패턴을 좀 바꿔볼 생각이다. 워낙 해오던 관성이 있어 쉽지 않겠지만 일희일비보다는 희희비, 희희희비, 희희비희희 정도면 괜찮지 않을까? (희희희만 계속되면 싱거우니까 비도 가끔은 희힛!) 커튼을 걷고 창문을 여니 어느덧 뜨거웠던 밤공기가 한발 물러나 있었다.

내 안의 미친 자여 나를 구원하라

"말차 푸라푸치노, 에스프레소 샷 하나 추가, 우유는 저지방으로, 통 자바칩 다섯 개 추가, 에스프레소 휘핑 많이, 초코 드리즐 많이, 말차 파우더 둘 추가."

조조로 영화를 예매해 놓고 침대에 벌렁 드러누워 손가락을 꼽았다. 메뉴 하나에 퍼스널 옵션이 여섯 개다. 정말 난감했다. 이걸 다 외워서 주문할 수 있을까?

시작은 m이 보내온 스타벅스 텀블러 쿠폰이었다. 커피를 별로 즐기지 않기 때문인지 아니면 카페에서 글 쓰던 나를 기억해서인지 그는 커피 쿠폰이 생기면 종종 내게 보내온다. 지금은 내 공간이 생겨서 카페에 갈 일이 거의 없지만 마침 영화를 예매한 김에 쿠폰을 써먹기로 하고 검색을 시작했다. 이름이 텀블러 쿠폰이라 텀블러를 가지고 가야 하는 건지 궁금했기 때문이다. 평소 스타벅스를 자주 들락거렸어도 지인에게 받은 기프티콘 사용이 목적이라 따로 주문을 해본 적은 없었다. 기껏해야 아이스를 뜨거운 커피로 바꾸는 정도. 알고 보니 텀블러 쿠폰은 텀블러를 사면 주는 쿠폰이었다. 그러나 검색을 거기서 멈출 수 없었다. 텀블러 쿠폰은 사이즈와 가격 제한이 없으니 기본 메뉴에 온갖 것을 첨가해 최소한 구천 원짜리로 만들어 먹어야 한다는 한 블로거의 팁이 눈에 들어왔기 때문이었다.

스타벅스 주문 방법, 추가 메뉴, 조합 꿀팁 등등등, 검색 끝에 답을 얻지 못한 나는 오래전 기프트카드를 쓰기 위해 깔아두었던 스타벅스 앱을 열고 사이렌오더 창으로 들어갔다. 미리 주문 시뮬레이션을 해보기 위해서였다. 그렇게 해서 어렵게 완성된 시나리오. 하지만 과연 직원 앞에서 준비한 대사를 막힘없이 술술 읊을 수 있을지는 미지수였다. 에라 그냥 포기하고 아무거나 하나 시켜 먹을까 했지만 그러기엔 왠지 지는 기분이 들었다. 말하자면 중년의 오기랄까. 나는 침대 위에서 이리저리 뒹굴며 하나라도 빼 먹을세라 손가락을 천장으로 쭉 뻗은 채 주문서를 외우다 잠들었다.

그렇게 아침이 왔고 나는 영화관 가는 길의 스타벅스까지 끊임없이 주문 내용을 웅얼대며 걸었다. 다행히 매장 안은 한산했다. 친절한 직원 덕에 무사히 주문이 막바지에 이르렀을 때였다.

"이 쿠폰 사이즈 제한 없는 거 맞죠?"

"네~."

"그럼 제일 큰 거……."

"아 네. 벤티 사이즈로 드릴까요?"

"아니요, 그란데요."

"저…고객님, 제일 큰 사이즈는 벤티인데요. 그냥 그란데로 드릴까요?"

아아…아뿔사! 사이즈의 웅장함으로 말하자면 그란데가 아니었단 말인가.

그리하여 약간의 민망함과 함께 주문을 마쳤다.

영화관 1열에서 본 영화는 〈크루엘라〉였다. 시작부터 좌충우돌 걸크러쉬를 뿜어내던 에스텔라는 무척 매력적이었다. 그녀는 자신이 다른 이에게 없는 무언가를 가졌다는 사실을 너무 잘 알고 있었다. 커피 주문 하나에도 쩔쩔맬 정도로 온 세상이 두려운 나, 써 놓을 소설을 끙끙대며 고치고, 좌절하고, 또 고치고, 좌절하다 포기하고 싶어지는 나와는 딴판이었다. 자신의 천재성을 의심 없이 드러내는 장면마다 왠지 모를 부러움과 카타르시스가 느껴져 눈을 떼기 힘들었다. 그런 에스텔라의 천재성이 최고치로 발휘되기 시작하는 것은 바로 그녀가 바로네스 부인에게 복수하기 위해 크루엘라로 흑화하는 때부터다. 얼굴에 THE FUTURE 라는 글씨를 새기고 화려하게 등장해 바로네스 부인을 완전해 박살내 버리는 크루엘라. 스토리의 설정이나 구성을 떠나 두려움이라고는 찾아볼 수 없는 광기 어린 눈빛과 행동만으로 액션 하나 없는 133분이 통쾌하게 흘러갔다. 나에게 없으며 동시에 가장 필요한 것을 그녀는 확실하게 보여 주었다.

"근데 난 착한 에스텔라가 될 수 없어요. 아무리 노력해도 처음부터 그랬어요.

난 크루엘라예요. 날 때부터 뛰어났고 원래 좀 못됐죠. 그리고 좀 돌았고.

난 그 여자와 달라요. 내가 한 수 위죠."

"너는 엄마 뱃속에서부터 착했단다." 가족들이 모이면 늘상 아버지가 하시던 말씀이다. 어렸을 때부터 그 말을 듣고 자란 나는 자연스럽게 착한 딸 역할에 무척이나 충실해 왔다. 그러다 보니 차츰 나 자신보다 주변을 먼저 살피는 습관을 갖게 되었다. 덕분에 내 안에도 있었을지 모를 크루엘라는 모습을 드러낼 기회도 갖지 못한 채 거의 소멸 직전의 위기에 처해 있었을 것이다. 언제나 나만 빼고 주변 모두를 편안하게 하려고 노력하던 나. 그러다 한계치에 다다랐고 원래부터 있던 내 모습을 찾아 독립하기로 한 것이다. 이제 무언가를 미치도록 원하고 그것에 집중하는 광기가 서서히 눈 뜰 시간이다. 영화를 보고 돌아오는 길, 나는 혼자 히죽히죽 웃으며 속으로 외쳤다. 내 안의 미친 자여, 나를 구원하라!

나를 돌보는 연습

먹고 사는 일 1

새벽까지 도서관에서 빌려온 단편집에 실린 소설 하나를 노트북 필사하고 잠자리에 들어 요즘 꽂힌 먹방 유튜브를 봤다. 그 유튜버는 맛집으로 소문난 집을 돌며 영상을 올리는데 음식도 음식이지만 혼자서 어마어마한 양을 뚝딱 먹어 치우면서도 눈 하나 깜짝하지 않는다. 나는 껌껌한 방에서 침을 꼴깍꼴깍 삼키며 영상을 보다가 한 시간을 훌쩍 넘기고 나서야 서둘러 눈을 감았다. 여태 먹는 것에서 큰 즐거움을 느끼지 못하던 내가 혼자 살게 되면서부터 먹방에 꽂힌 것은 참 이상한 일이다.

어렸을 적 엄마는 밥때만 되면 "오늘은 뭘 해 먹나." 하고 고민했다. 그 고민에 한 짐을 얹은 게 바로 나였다. 나는 편식이 무척 심한 어린이였다. 특유의 비린 냄새 때문에 모든 종류의 고기를 싫어했고 물컹한 식감의 버섯이나 채소는 씹는 느낌이 징그러워 못 먹었다. 심지어 김치나 물도 남의 집 것은 가렸다. 당시에는 김치를 손수 담가 먹었고 물도 생수라는 개념 없이 보리차나 결명자차를 끓여 먹던 시대였던지라 집집마다 미묘한 향의 차이가 있었는데 어린 나는 그걸 귀신같이 알아채고 거부했던 것이다. 엄마 입장에서는 까탈도 그런 까탈이 없었을 테지만 나로서도 괴롭기는 마찬가지였다. 먹기 싫은 정도가 아니라 도저히 먹을 수가 없었기 때문이었다. 덕분에 한참 성장기인 초등학교에서 중학교 시절에는 영양실조 증세로 종종 병원에 다녔다. 엄마는 아직도 세 자매 중 제일 작은 내게 '못난이'라며 애증 어린 농을 친다.

"네가 그때 그렇게 안 먹어서 못 큰 거 아니냐. 으이구 우리 못난이."

"나는 너 시집갈 때 굶어 죽을까 봐 얼마나 걱정했는 줄 아냐?" 같은.

이제 생각해 보면 좀 웃긴 장면처럼 남아 있지만 결혼식을 마치고 밖으로 나올 때 엄마와 아빠가 갑자기 두 손으로 얼굴을 가리고 각기 다른 방향으로 뛰어갔던 기억이 있다. 그 순간 두 사람 다 내가 어떻게 나와 가족을 먹이며 살까 걱정이 되어 눈물이 터졌다고 한다. 그야말로 순수하게 음식을 해 먹고 사는 문제 때문에 말이다. 하지만 다행히도 나는 이십 년 동안 꽤 잘 먹고 살았다.

그렇게 된 데에는 내 딸의 공이 무척 컸다. 결혼 당시 m의 집은 고기라면 두툼한 비계가 붙어 있고 누릿한 냄새 정도는 나 줘야 제대로라고 여겼고, 한 달에 한 번 단골 정육점에서 피가 뚝뚝 떨어지는 생간을 사다 날로 먹기도 하는 하드코어 육식파였다. 시어머니 눈에 고기라면 입부터 틀어막고 보는 며느리가 곱게 보일 리 없었다. 신혼 초 시댁에 들어가 살던 일 년여 동안 어머니는 "네가 못 먹어도 남편을 해 줘야 할 거 아니냐." 하며 갈비 재는 법을 가르치거나 아들이 좋아하는 고기 밥상을 차려 식사를 청하기도 하셨다. 나는 그녀의 불안감을 해소시켜 주기 위해 억지로 고기 몇 점을 집어먹거나 배운 대로 요리해서 맛을 보여 주기도 했다. 사실 간 보는 것부터 고역이 따로 없는 일이었지만 말이다. 게다가 결혼 한 달 만에 아기가 생기고 입덧을 시작하면서는 숨 쉬는 공기에서조차 냄새가 나서 구역질을 하며 화장실로 달려가곤 했다. 꼭 그것 때문만이 아니라도 여러 가지 충격적이고 해결 안 될 일이 겹쳐 그 시기가 내게는 인생에서 손꼽을 만 한 힘든 시기였다.

그러던 와중 입덧이 끝나고 식욕을 되찾았다. 그러자 신기한 일이 벌어졌다. 입에서 고기가 당기기 시작한 것이다. 나는 삼계탕, 추어탕, 감자탕, 삼겹살까지 장르를 불문하고 먹어대기 시작했다. 거의 대부분 처음 먹어본 것들이었고 아직도 몇몇 가지는 아주 맛있게 먹게 되었다. 먹으면서도 "아, 너무 신기해."하고 감탄했던 기억이 난다.

과연 딸은 태어나 밥을 먹기 시작하면서 고기를 찾았다. 생간까지는 아니더라도 딸은 고기라면 가리지 않고 거의 다 잘 먹는 편이다. 한동안 의심을 거두지 못하던 시어머니는 손녀의 식성이 아빠를 쏙 빼닮은 걸 확인하고서야 안심하게 되었다.

출산 후 다시 육류와 거리를 두게 되었지만 딸 덕분에 고기를 맛보게 되어 이전같은 거부감은 많이 사라졌다. 게다가 아이를 먹여야 할 의무가 있는 엄마인 나는 싫어해도 아이를 위해 고기를 요리하기 시작했다. 생선 비늘을 벗겨 굽고, 고기를 사다 재거나, 심지어 돼지 등뼈에 우거지를 넣고 한 솥 끓여내는 일도 척척 해냈다. 여느 아이들처럼 딸은 요리하는 엄마 주변에 머무르며 구경하는 걸 좋아했는데 고기 냄새가 싫었던 나는 간 보는 일을 딸에게 맡겼다. 그건 가족 모두에게 아주 좋은 일이었다. 어차피 나야 고기를 안 먹을 테고 딸의 입맛에 맞는 음식은 아빠 역시 맛있게 먹을 것이기 때문이었다. 그렇게 해서 간도 안 보고 요리하는 주부로 이십 년을 무사히 잘 먹고 잘 살아냈다.

그래도 먹는 일, 특히 육류에 대해서라면 없었던 애정이 새삼 생겨나지는 않았기에 독립한 후 가장 기뻤던 일은 더 이상 요리를 하지 않아도 된다는 것이었다. 그런데 먹방은 왜 보는 걸까? 어쩌면 요리하던 나를 무의식이 기억하는 걸까, 혹은 내 요리를 맛있게 먹던 두 사람을 기억하는 건가. 그것도 아니면 이제라도 좋아하는 음식을 찾아보고 싶은 건지도 모르겠다. 어쨌든 먹고는 살아야 하니까 말이다. 그러고 보면 먹고산다는 건 참 간단치 않은 일인 것 같다.

먹고 사는 일 2

집을 얻고 가구를 들여놓으면서 밥통은 사지 않았다. 이제 때에 맞춰 식사를 차리지 않아도 되니 입에 맞는 걸로 편식하고 안 먹고 살리라 했는데 실상은 그리 녹록지 않았다. 저녁은 회사에서 먹는다 쳐도 아침, 점심은 집에서 해결해야 했는데 내키는 대로 굶다, 먹다를 반복하다 보니 생활 습관이 흐트러지고 체력도 무너지기 시작한 것이다. 하는 수 없이 찔끔찔끔 장을 보고 뭔가를 해 먹기 시작했다. 그러자 이번엔 음식물쓰레기 처리에 어려움이 생겼다. 식빵 한 봉지를 사면 유통기한을 넘기기 일쑤였고 엄마가 틈틈이 챙겨준 장아찌와 밑반찬, 채소, 과일과 냉동식품까지 온전히 소비하는데 시간이 꽤 걸렸다. 아예 안 먹을 수는 없지만 그렇다고 다 먹을 수도 없는 상황이 계속되다 보니 어느새 나는 음식을 처리하기 위해 먹는 사람이 되어 있었다.

이건 아닌데 싶으면서도 막상 냉장고를 열면 빨리 먹어 치워야 하는 것에 손이 가고 만다. 예를 들면 스파게티가 먹고 싶은데 보름 전에 사둔 계란과 굳어가는 식빵이 보여 프렌치토스트를 해 먹는 식이다. 그렇게 한 끼 해치우고 나면 기분이 별로 좋지 않고 속이 헛헛하기도 하다. 가끔 스트레스 쌓인 날은 매콤한 떡볶이를 시켜 먹고 싶기도 한데 지나치게 많은 양을 생각하면 열 번에 아홉 번은 포기하게 된다. 혼자 살면 뭐든 하고 싶은 대로 할 수 있을 거라는 생각은 착각이었다.

언젠가 한번은 퇴근하는 길에 뭔가 맛있는 걸 실컷 먹고 싶다는 욕구가 강렬하게 일었다. 분명 회사에서 저녁을 먹었는데도 그날은 성에 차지 않았다. 뭘 먹을까 고민하며 배달앱을 한참 뒤지던 나는 그동안 미뤄왔던 엽떡에 튀김 오뎅, 주먹밥을 주문했다. 주문만으로 기분이 좋았다. 편의점에서 맥주도 네 캔 골라 샀다. 그다음은…기억이 나지 않는다. 아니 사실 정신줄을 놓고 주문한 음식을 먹었다. 먹는 것까진 좋았는데 다음날 기어코 배탈이 나고 말았다. 그 많은 양을 절반 넘게 먹어 치웠으니 배가 놀랄 만도 했다. 회사에는 장염이라고 둘러대고 하루를 꼬박 화장실에 들락거렸다. 먹고 사는 일이 이렇게나 힘들 줄이야.

나보다 훨씬 오래전부터 일인가구로 살아왔던 친구 똑똑이는 나의 경험을 심각하게 들었다. 그리고 주말이면 종종 나를 집으로 부른다. (나는 집이 안산이고 똑똑이는 서울에서도 나와 꽤 멀리 떨어진 동네라 주말이 아니면 만나기가 힘들다. 가까이 살았다면 그렇게 미련한 짓은 안 했을 텐데) 우리는 평소 혼자서는 먹기 힘든 음식을 주문해 먹거나 가끔 술도 한 잔 한다. 오랜 공력으로 베란다가 있는 자그마한 아파트에 입주한 똑똑이가 직접 질 좋은 소고기로 스테이크를 구워주기도 한다. 소고기에 먹는 와인은 정말 끝내준다.

사실 그렇게까지 하지 않아도 가까운 부모님 집에 가면 맛있는 집밥을 먹을 수 있다. 하지만 아직 독립한 지 일 년도 안 된지라 부모님은 나만 보면 걱정에 은근히 m과 재결합할 의사가 없는지 묻는다. 똑똑이는 말하지 않아도 그런 내 사정을 훤히 알고 있는 것같다. 그리고 고맙게도 “니 핑계로 나도 먹고 싶은 거 먹는 거지 뭘.” 하며 웃는다.

똑똑이는 내가 글쓰기를 배우기로 결심한 해 대학원에서 만난 동기이다. 워낙 말수가 적은 편이라 함께 스터디하고 합평할 때만 해도 혼자 살고 있다는 걸 몰랐는데 막상 내가 독립을 시작할 무렵 가장 큰 힘이 되어주었다. 큰소리치고 일을 저질렀지만 우왕좌왕하는 나에게 혼자 살 때 필요한 것을 스윽 챙겨주며 선배 노릇을 톡톡히 하는 똑똑한 친구 똑똑이. 그래서 나는 그 친구에게 감사와 경의를 담아 똑똑이라고 부른다.

똑똑이 덕분에 이제 나는 그때와 같이 무모한 짓을 벌이지 않게 되었다. 그래도 여전히 냉장고에는 처리해야 할 음식이 쌓이고 나의 먹고사는 문제는 참 쉽지가 않다. 어쩌면 그래서 여전히 먹방에 빠져 있는 건지 모르겠다. 평일, 피곤하고 짜증 나는 날, 유난히 속이 헛헛한 밤 누군가 맛있게 먹는 모습을 보며 생각한다. 언젠간 나도 똑똑이, 혹은 지금의 나 같은 초보 독립인에게 맛있고 든든한 식사를 대접할 수 있을까. 혼자가 아니었다면 결코 알지 못했을 뿌듯한 포만감에 어느새 스르르 눈이 감긴다.

먹고 사는 일 3

지난주 목요일 출근길에 임대주택 신청 서류를 제출하기 위해 동네 행정복지 센터에 방문했다. 나는 번호표를 뽑기 전에 출력한 서류들이 맞게 들어있는지 목록을 확인하고, 담당자가 다시 발급받아 오라고 했던 청약저축 서류도 꼼꼼히 살펴보았다. 전날에 청약저축 납입인정 회차 증명서에 관리 번호가 빠져 있어서 제출하지 못했기 때문이었다. 안 그래도 마음이 바쁜 출근길에 세 번째 방문만은 피하고 싶었다.

일자로 길게 이어져 있는 창구에 주로 나이 든 어르신들이 복지혜택 신청을 위해 방문해 계셨다. 담당자들은 귀가 어두워 잘 듣지 못하는 어르신들을 위해 우렁찬 목소리로 같은 설명을 반복하다가 급기야 자녀분과 통화를 하기도 했다. 무척 분주하고 소란한 광경을 멀뚱히 보며 오전의 행정복지 센터는 이렇구나 생각하다가 나도 그 안으로 뛰어들었다.

담당자는 어제의 나를 기억하고 친절하게 맞아주었다. 왠지 떨리는 마음으로 서류를 확인하는 담당자 앞에 서 있는데 그가 어르신들에게 하듯 나에게 큰 소리로 물었다.

"차상위는 아니시죠?"

"네."

"일인 가구시고요?"

"네."

기어들어가는 목소리로 대답했다. 그동안 등본 같은 서류를 떼는 것 외에 나라로부터 어떤 혜택을 받기 위해 이곳을 방문한 적이 한 번도 없었다는 생각이 들었다. 넉넉한 살림이 아니었음에도 매번 미세하게 혜택의 자격에서 제외되었던 탓이었다. 이번에도 마찬가지인 것 같았다. 담당자는 내 신분증을 복사하고 서류를 맞게 잘 챙겨왔다고 칭찬해 준 후, 생계 활동을 하는지 물었다. 그렇다고 대답하자 내가 낸 서류 하나를 내밀면서 항목에 체크하고 얼른 무인 민원기에 가서 건강보험 자격 득실 확인서를 떼 오라고 했다. 영문도 모르고 시키는 대로 서류를 떼 오자 그가 웃으며 가산점 3점이 추가되었다고 말했다.

"그래도 1순위가 아니라서 당첨은 힘드실 거예요. 워낙 경쟁률이 세거든요."

"그렇군요. 감사합니다."

그 순간 정말로 감사한 마음이었다. 두 번 걸음 했지만 무사히 서류를 제출한 것과 빠트린 가산점을 챙겨주고 당첨이 안 되어 실망할 것까지 마음 써주는 담당자에게도 감사했다. 운 좋게 당첨되면 좋겠지만 그러지 않아도 아직은 괜찮다 싶었다. 독립해 나오며 내 몫이 된 얼마간의 돈이 통장에 있기 때문이었다. 그래도 되면 더 좋겠지만……

임대주택은 독립 선배 똑똑이 덕분에 알게 되었다. 일인 가구의 경우 십만 원 대의 월세에 제법 괜찮은 주거환경에서 살 수 있다고 한다. 종류도 국민임대, 행복주택, 매입임대 등 다양하다. 하지만 자격요건이 꽤 까다롭다. 신혼부부이거나 청년이거나 노인, 혹은 주거급여 수급자가 1순위다. 나는 어디에도 해당되지 않는 일인가구라 차례가 돌아오려면 시간이 꽤 걸리거나 영영 안 될지도 모른다. 그래도 포기할 수는 없다. 이제 나를 책임질 사람은 나뿐이기 때문이다.

사실 혼자 살게 되면서 나는 한 사람에게 들어가는 돈이 생각보다 많다는 데에 놀라는 중이다. 규모는 적어도 전기세나 가스비처럼 생활에 필요한 필수적인 지출 항목이 있고, 기본 식비와 의복비, 교통비에 월세와 관리비를 더하면 백오십 남짓한 내 월급에서 오히려 조금씩 마이너스가 된다. 글쓰기 공부를 하겠다고 근무 시간을 줄인 탓이긴 하지만 통장에서 조금씩 줄어드는 잔액을 보면 조바심이 안 날 수가 없다. 얼마 전에도 예금으로 묶어두었던 돈 중 일부를 헐었다.

조바심이 날 때가 또 있다. 이따금 가까이 사는 부모님 집에 갈 때다. 부모님은 내가 집에 들를 때마다 월급은 얼마며 생활을 어떻게 하는지 묻고 또 묻는다. 그러면 나는 최선을 다해 월급을 부풀린다. 거짓말을 하지 않기 위해 기본급과 이런저런 수당에 상여금과 복지포인트까지 다 그러모아 열두 달로 나눈 금액을 말하는 식이다. 나의 노력에도 불구하고 엄마는 한숨을 쉰다. 그러면 짐짓 명랑하게, 아니 진심으로 기쁘게 주장한다.

"엄마, 나 그래도 지금이 너무 행복해. 이제야 제대로 사는 것 같다니까."

역시나 엄마의 반응은 뜨뜻미지근하고 미심쩍을 뿐이다. 엄마에게 행복은 남편이 있는 가정의 울타리 안에서 자식을 키워 시집, 장가보내고 나이 들어서는 손주들 재롱을 보며 용돈이라도 한두 푼 쥐여 줄만큼의 여유를 가지고 사는 것이다. 현재의 나는 그 기준에 한참 미달인 모양이다. 그래도 어찌하나 내 행복의 기준은 엄마와 다른걸. 서로 다른 가치관을 지닌 사람과는 거리를 두는 게 상책이지만 가족에게만은 그럴 수 없다. 이렇게 사는 삶도 행복할 수 있다는 걸 어떻게 설명해야 할까. 그러기까지 꽤 오랜 시간이 걸릴 것 같다. 그래도 포기할 수는 없다. 나는 엄마, 아빠를 사랑하니까 그들이 결국 나로 인해 행복해지길 바란다. 그러기 위해서 오늘도 나는 나를 잘 먹여 살리기 위해 고심한다.

활짝 웃을 용기

졸업 후 몇 년 만에 대학원 동기들과 모임이 있었다. 그간 뜻밖의 코로나로 만남의 기회가 차단되었던 까닭이었다. 어쩜 여전하다고 덕담을 나누었지만 실은 다들 못 본 시간만큼 나이가 들어 있었다. 그래도 마음만은 설레어 재잘재잘 잘도 이야기를 나누었다. 하지만 나는 모임에 참석하지 않았다. 선약이 있거나 특별한 일정이 있는 것도 아니었는데 굳이 없는 핑계를 만들어 집에 있었다. 단톡방에는 부회장 언니가 찍은 사진과 동영상이 실시간으로 올라오고 있었다. 침대에 누워 그걸 흐뭇하게 바라보다가 문득 생각했다. 가면 될 걸 왜 이러고 있지?

사실 좀 피곤하긴 했다. 이미 공모전에 여러 번 떨어진 단편 소설을 일주일 내내 고쳐 바로 어제 새로운 공모전에 보냈기 때문이다. 그리고 이주 뒤 마감인 다른 공모전에 낼 소설 두 편을 또 고쳐야 했다. 그렇다고 하루쯤 쉬지 못할 정도는 아니었는데…….

그들과 강의실에 모여 머리를 맞대고 몇 시간씩 합평을 하면서도 피곤은 커녕 뿌듯하기만 하던 시간이 왈칵 그리워졌다. 소설의 소자도 모르던 내가 그들 틈에 끼어 첫 소설을 완성하고, 우연히 한두 번 작은 성과를 내기도 하며 으쓱했던 그때. 어쩌면 나는 그때의 나를 마주할 용기가 없어 모임에 나가지 못했는지도 모른다.

"등단이 쉽나. 적어도 오 년은 잡아야지. 정말 안 되겠다 싶어서 포기할 때쯤 좋은 소식이 온다더라."

요즘은 온라인 합평을 하는 친구들과 마치는 시간이면 그렇게 씁쓸한 위로를 주고받곤 한다. 그래도 이상하게 눈에 띄는 건 유독 그 반대의 경우뿐이다. 괜찮아, 될 때까지 하면 되지. 하면서도 나는 모니터에 내 글을 띄울 때마다, 아니 그러기도 전에 우울해지고 만다. 어떻게 보면 공포에 가까운 그 마음 때문에 책상에 앉기까지 무척 시간이 걸린다. 괜히 발을 한 번 더 씻거나 연필을 깎고 서랍 정리를 하는가 하면 읽어야 할 책을 억지로 만들어 내기도 한다. 혼자서 그렇게 좁은 방 안을 빙빙 맴도는 시간이 늘어날수록 자신감은 더 떨어진다. 이렇게 못난 모습은 아무에게도 보여 주고 싶지 않다.

나는 단톡방에 사진으로라도 보니 반갑다고 짧은 인사를 남기려다 지워버리고 말았다. 그러는 사이 활짝 웃는 동기들 사진이 자꾸자꾸 올라오고 마침내 헤어졌는지 잘 들어가라는 인사말이 오간다.

"반가웠어요. 다음 달엔 대공원 둘레길 산책해요."

이제 자주 만나려는 모양이다.

방 안에 숨어 염탐하듯 모임을 함께 한 나도 휴대전화를 끄고 책을 한 권 찾아 든다. 오늘은 도저히 글을 손볼 자신이 없어서다. 그렇지만 책 내용이 눈에 들어오지 않는다. 따지고 보면 그들도 이런저런 이유로 나와 같이 어려운 시간을 보내왔을 텐데. 왜 나만 이러고 있을까?

아무래도 그들에겐 내가 가지지 못한 무언가가 있는 모양이다. 힘들고 우울해서 물렁해진 마음을 단련하고 웃을 수 있는 용기 같은 것 말이다. 자존감이 바닥을 뚫고 지하로 파고드는 순간 가까스로 힘을 내어 일기 같은 글을 써본다. 오늘은 못난 나를 위한 위로의 글이다.

내일은, 혹은 다음 모임에는 나도 활짝 웃을 용기를 낼 수 있기를.

안부를 전하는 밤

며칠 전은 몹시 무더웠다. 폭우가 쏟아진다던 일기예보와 달리 하늘은 하루 종일 어둡게 내려앉은 채 요지부동이었고 높은 기온에 바람조차 없어 갑갑했다. 반곱슬인 머리는 습기를 머금자 푸슬푸슬 제멋대로 일어나 말을 듣지 않았고 마스크 안은 안 대로 눅눅해 숨쉬기가 거추장스러웠다. 젖은 솜을 머리에 이고 있는 기분이었다. 나는 그렇게 축 처진 채 퇴근했다.

돌아오는 길에 이전에 소설창작 강의를 잠깐 같이 들었던 사람의 등단 소식을 들었다. 와~하며 축하를 보냈지만 머리 위의 먹구름이 더 무겁게 나를 내리누르는 것 같았다.

편의점에서 맥주라도 한 캔 살까하다 그냥 지나쳤다. 그런 날은 무슨 수를 써도 기운이 날 것 같지 않아서였다.

집에 돌아와서 서둘러 에어컨을 틀고 샤워를 한 후 바로 침대에 엎어져 휴대폰을 들었다. 인스타 피드를 확인하고 뉴스를 훑어본 후 유튜브를 이리저리 타고 돌아다니는데 전화가 왔다. 언니였다. 언니? 전화 받기가 좀 망설여져 진동이 울리는 휴대폰을 멍하니 들여다보다 연결을 눌렀다.

"내 동생 잘 있었어?"

전화기 너머 언니의 목소리는 아주 밝지도 어둡지도 않았지만 다정했고, 조금은 나처럼 기운이 없는 듯도 했다. 평소 자주 통화하는 사이가 아니어서 그랬을까. 나는 건조한 목소리로 대답했다.

"잘 있지 그럼. 왜 무슨 일 있어?"

"아니, 그냥 우리 동생 얼굴이 갑자기 생각나서 전화했지."

그러고는 사소한 안부가 짧게 오갔다. 이천에서 작은 학원을 운영하는 언니는 혼자서 서른 명 가까운 아이들을 가르치고 차량까지 운행하며 바쁘게 사는 중이다. 학년별로 시간을 나누어 가르치다 보니 밥 먹을 시간도 모자라 아이들을 다 보낸 후 싱크대 앞에 선 채로 허겁지겁 먹기도 한다고 했다. 이제 막 아이들을 다 돌려보냈는데 문득 내가 떠올랐다고 말하는 언니에게 뭐라고 말해야 할지 몰라서 농을 던졌다.

"바쁘신 언니가 전화를 주다니 정말 영광이네, 히히."

그러자 언니가 그게 무슨 말이냐는 듯 더욱 과장된 말투로 나를 칭찬하기 시작했다.

"영광이라니, 내가 더 영광이지. 우리 훌륭한 동생. 글도 잘 쓰고 마음도 착하고 씩씩한 내 동생이 전화를 받아주다니."

어? 그런데 장난으로 주고받던 말에 나도 모르게 울컥하고 말았다. 그래서 내내 참았던 말을 불쑥 꺼냈다.

"훌륭하긴. 이 나이에 이러고 있는데. 한심하지 뭐."

가족에게 그런 말을 해보긴 처음이었다. 더욱이 언니에게는.

언젠가부터 가족 내에서 나는 감정 표현이 드물고 도움받기 싫어하는 고집 센 캐릭터였다. 반면 언니는 똑 부러지게 자기 일하면서도 한편으로는 마음이 여려 뜻밖의 일에 상처를 받기도 했다. 사실 뜻밖이라는 건 내 입장에서였다. 개인주의자에 오지랖력이 제로에 가까운 나는 자주 언니를 이해하지 못했다. 아마 그건 언니도 마찬가지였을 거다. 그렇다고 으르렁대며 싸우는 편도 아니어서 우리는 자라며 서서히 거리를 두게 되었다. 특히 나의 독립 이후 그 일을 엄마보다 더 마음 아파하는 언니를 이해하기 어려웠다.

지난번 명절에 본가에서 언니를 만났을 때였다. 언니는 물컵 쥔 내 손을 무심코 바라보다 못 보던 흉터를 발견하고 소스라치게 놀랐다. 아물긴 했지만 붉게 튀어나온 흉이 제법 아파 보였던 것 같다. 나는 이삿짐 정리하다 조금 다쳤다고 설명하며 손을 이리저리 뒤집어 보였다. 이제는 말짱하니까 걱정하지 않아도 된다는 의미였다. 하지만 언니는 내가 손을 쓸 때마다 눈꼬리를 늘어뜨리며 슬쩍슬쩍 흉터를 바라보았다. 나는 모른척했다. 언니에게 다쳤던 순간과 혼자 구급차까지 타고 가서 치료받은 이야기를 할 생각은 없었다. 언니도 더는 묻지 않았다. 서로 뒤엉켜 놀던 어릴 때와 달리 어느새 언니와 나는 서로를 조심하는 사이가 되어 있었다. 그런 언니와 한밤중의 통화라니……. 게다가 나도 모르게 풀죽은 소리를 하고 있다는 게 낯설고도 신기했다. 나는 내친김에 한 마디를 보탰다.

"답도 없이 이러고 있는 게 잘하는 건지 모르겠어."

"암, 잘하고 있는 거 맞지. 그 나이에 너처럼 용감한 사람 있으면 나와보라고 해. 하고 싶은 일 찾아 열심히 하는 거 아무나 하는 줄 알아? 답답한 건 나지."

"왜, 언니야말로 애 잘 키우고 돈 잘 벌고 세상 최고 훌륭한데. 누가 우리 언니한테 뭐라 그래, 다 나오라고 해!"

"역시 내 동생. 내 동생한테도 뭐라 그래봐. 쫓아가서 머리를 뜯어놔 버리지."

"그치?"

"그럼 그럼."

누가 뭐라는 사람도 없는데 우리는 가상의 적을 만들어 놓고 맞장구를 치다 키득키득 웃었다. 그러고 나니 우울한 마음이 한결 나아지는 것 같았다.

"언니, 밥은 먹었어?"

"얼른 먹어. 피곤하면 맥주도 한잔하고."

"그래, 너도 오늘은 아무 생각 말고 일찍 자."

"응."

열기를 띠던 우리의 통화는 그렇게 마무리되었다. 언니 말대로 나는 그대로 불을 끄고 누웠다. 푹 자고 일어나면 다음 날은 무엇이든 다시 해볼 기운이 생기리라 기대하면서.

언니는 어떻게 알고 내게 안부 전화를 했을까. 어쩌면 언니에게도 유독 힘든 일이 많은 날이었는지 모른다. 남편이

나 아이들보다는 멀고 친구보다는 가까운, 철 들기 전 어린 시절의 부끄러운 기억까지 스스럼없이 공유하던 자매와 옛날처럼 투닥투닥 이야기 나누고 싶었는지 모른다. 그리고 나 역시. 그러니 우린 영락없는 자매다.

어느덧 현관문 너머의 고요한 어둠과 혼자 잠드는 밤이 익숙해진 나에게 언니의 안부 전화는 뜻밖의 위로가 되었다. 혼자서도 충분히 행복하다고, 아니 오히려 이보다 좋을 수는 없다고 믿고 있지만 언니 덕분에 가끔은 이렇게 안부를 전하는 밤이 기다려질 것도 같다.

버티다 버티다

아빠에게 전화가 왔다.

"우리 따알~잘 지내고 있지?"

목소리를 들어보니 한잔하신 모양이었다. 2박 3일의 답사를 마치고 막 집으로 들어온 나는 무거운 가방을 책상 옆에 내려놓으며 일부러 쾌활하게 대답했다.

"그러~엄. 잘 지내고 있지요."

"아빠가 오늘 집에서 소고기에 술 한잔했는데, 우리 둘째 딸이 생각나서 전화했지. 우리 딸 소고기는 먹잖아. 잠깐 와서 먹고 갈래?"

"나 멀리 갔다가 인제 막 들어왔는데."

"와서 먹고만 가. 아빠가 오늘따라 우리 딸 먹는 게 꼭 보고 싶어서 그래."

나는 편식이 심했지만 집안에서 유일하게 아빠와 식성이 같은 딸이었다. 우리가 좋아하는 마른오징어를 사러 노량진 수산시장에 갈 때면 아빠는 꼭 나를 데리고 갔다. 정비가 안 돼 바닥에 물이 흥건했던 수산 시장을 그의 손에 매달려 구경했던 기억이 아직도 선명하다. 실컷 구경하고 나면 오징어 선택권은 항상 나에게 주어졌다. 뭣도 모르면서 나는 신중하게 한 축씩 포장된 오징어들을 살피다 하나를 손가락으로 가리키곤 했다.

또 가끔 당신 입에 맞는 음식을 발견하면 나를 데리고 가서 먹이거나 포장해 와 먹는 법을 가르치기도 했다. 대부분은 실패했고 드물게 성공했지만 자라는 동안 그 일을 습관처럼 반복했다. 결혼 후 눈에 띄게 줄었던 그 일을 아빠는 요즈음 다시 시작한 것 같았다. 그래도 몇 번 거절하면 "그래, 다음에 꼭 같이 먹자." 하고 전화를 끊었는데 이번엔 웬일인지 통화가 길어졌다. 그러는 동안 아빠 목소리가 조금 잠겨가는 듯도 하여 결국 알겠다고 전화를 끊었다.

영 내키지 않는 마음으로 굼뜨게 갈 채비를 할 때였다. 이번엔 엄마가 전화를 걸어왔다.

“사실은 집에 m이 와 있어. 엄마 아빠랑 술 한잔하자고 고기를 사 왔는데 아빠가 술이 과하셨나 보다. 혹시라도 네가 모른 채로 왔다가 화낼까봐.”

순간 머리가 멍해지고 몸이 굳었다. 어떤 상황인지 보지 않아도 알 것 같았다. 나와 헤어진 후에도 m은 내 부모 집에 이따금 들렀다고 했다. 딸 없는 사위를 보는 그들의 마음이 어땠을지 짐작이 되고도 남았다. 엄마가 “네가 뭐라고 남의 집 귀한 자식을 이렇게 불쌍하게 만드냐.” 고 책망 섞인 하소연을 하곤 했으니까. 그리고 연이어 떠오른 기억들. 나와 사귀기 시작하면서부터 집으로 전화해 부모님과 인사하고 자연스럽게 집에 드나들던 m. 나와 16살 차이 나던 남동생을 친동생처럼 목말 태우고 여동생에게는 살가운 오빠처럼 굴던, 나만 빼고 온 가족이 사랑했던 그. “여자는 생각할 시간을 주면 안 돼.” 연애를 시작한 남동생에게 그가 했던 말이 전화기를 통해 다시 들려오는 듯했다. 내가 잠잠하자 엄마는 조심스럽게 말을 이었다.

“m도 아빠가 너 부른다니까 놀라서 펄쩍 뛰더라. 불편하면 안 와도 돼. 그래도 얼마나 안 됐냐…….”

그 말에 그만 눈물이 터지고 말았다. 태연한 척 버티고 버티던 감정의 둑이 단번에 무너져 내렸다. 나는 침대에 걸터앉아 엉엉 울었다. 철 든 후 가족 앞에서, 특히 엄마 앞에서 그렇게 울어본 적은 처음이었다. 나는 온몸에 한기가 들어 부들부들 떨릴 때까지 그야말로 목을 놓아 울었고 엄마는 상황을 설명하다가, 나를 달래고, m이 안쓰럽다는 말을 하며 어쩔 줄 몰라했다. 그렇게 삼십여 분이 지난 후, 나갈 준비를 하던 그대로 침대에 웅크리고 누웠다. 여전히 몸이 떨렸다. 사는 동안 m이 몸서리쳐지도록 싫었던 건 아니었다. 그렇게 생각하고 살았는데 이렇게까지 과민한 반응을 보이는 내가 나도 이해되지 않았다.

부모님께 독립 계획을 말할 때 온통 눈물 바람이었던 엄마와 달리 나를 찬찬히 살피던 아빠는 "네가 꼭 다른 사람 같다."라는 말을 했을 뿐 별다른 반응을 보이지 않았다. 나는 그게 오히려 고마웠다. 이제 더는 아빠 손에 매달려 오징어를 고르던 편식쟁이 아이가 아니라는 사실을 은연중에 인정받는 느낌이었다. 이대로 기다려 준다면 누군가의 보호막 없이도 삶을 충분히 잘 꾸려갈 수 있다는 걸 증명할 자신이 있었다.

눈물이 터진 건 나의 그런 희망이 실은 실현 불가능한 것 아니었을까 하는 의심 때문이었다. 분명 내 힘으로 끝냈다고 생각했는데……. 이십여 년 전 나의 의사를 배제한 채 m이 만들었던 상황이 다시 반복될 기미가 보였고 내 부모는 거기에 기꺼이 동참하려 하고 있었다. 그리고 내가 할 수 있는 건 어린애처럼 울음을 터트리는 것뿐이었다. 믿었던 이에게 이해받지 못해 화가 나기보다 무력감에 막막하고 두려웠다. 이 정도면 그들이 맞고 내가 틀린 게 아닐까? 온 세상이 정상인데 나 혼자만 착각에 빠져 엉뚱한 짓을 하고 있는 건 아닐까? 하고 싶은 일이 있다는 건 핑계일 뿐이고 그냥 현실에서 잠시 도망치고 싶은 건 아닐까? 그러다 나중에, 돌이킬 수 없을 만큼 시간이 흐른 뒤에 후회하게 되지 않을까? 한번 시작된 의심은 걷잡을 수 없이 가지를 뻗어가며 머리와 가슴을 옥죄었다. 숨을 쉬기 위해 눈을 꼭 감았다. 소용이 없었다. 정말로 나는 잘하고 있는 걸까?

최소한의 오지랖

아빠의 전화를 받은 후 좀처럼 마음이 회복되지 않았다. 나는 꼬리를 물고 이어지는 부정적인 생각에 내내 신경을 곤두세운 채 기계적으로 움직였다. 퇴근해서 돌아오면 겉옷만 벗고 침대에 쓰러져 두 시간 정도 잤다. 저녁 아홉 시쯤 일어나 뒤늦게 씻고 동이 틀 때까지 글을 고쳤다. 그러다 잠이 쏟아지면 몇 시간 자고 아니면 책을 읽다가 출근했다. 얼추 고친 원고는 출근길에 우체국에 들러 공모전에 보냈다. 늘 하는 일을 문제없이 해내고 있었지만 에너지가 달릴 때 식욕을 가장 먼저 내치는 나쁜 습관이 도지고 말았다. 입맛은 없지만 움직일 만큼의 기운이 필요했으므로 나는 간간이 단백질 쉐이크를 우유에 타 먹거나 안 되겠다 싶을 때는 열량 높은 초콜릿 같은 것을 먹었다.

그렇게 일주일을 보낸 후 똑똑이와 합평을 하기 위해 혜화동으로 갔다. 눈치 빠른 똑똑이는 에스컬레이터를 타고 올라오는 나를 보자마자 "뭐야, 왜 이래?" 하고 물었다. 속으로 뜨끔했지만 "내가 뭘?" 하고 되물었다. 곧바로 타격감이 전혀 없는 등짝 스매싱이 몇 대 이어졌다. 똑똑이는 합평이고 뭐고 일단 밥이나 먹자며 내 팔을 끌었다. 식당가에서 풍기는 음식 냄새가 역했지만 똑똑이는 완강했다. 골목 안쪽 손님 적은 소고깃집으로 나를 데리고 가 일사천리로 주문을 마치고는 고기를 구워 내 접시에 올렸다. 차마 거절할 수 없어 입에 넣고 씹었다. 그러자 웬걸 깔깔했던 입 안에 고소한 맛이 퍼지며 정신이 번쩍 들었다. 연이어 나온 된장찌개도 한 숟가락 떠먹었다. 뜨거운 국물이 식도를 타고 내려가 뱃속에 퍼졌다.

"와, 맛있다!" 나도 모르게 감탄사가 터져 나왔다. 그제야 심각한 표정으로 고기를 굽던 똑똑이가 씨익 웃었다. 자기의 일은 스스로 하자, 가 기본값인 나였지만 정성스럽게 챙겨주는 마음이 유달리 고마웠다. 그리고 무엇보다 함께 먹으니 신기하게 밥이 들어갔다. 괜히 머쓱해졌다.

"너도 얼른 먹어."

"당연하지."

"소주도 한 병 시킬까?"

"맥주 하나, 소주 하나."

결국 예정했던 합평은 합평지를 주고받는 것으로 대체하고 우리는 2차로 생맥주까지 먹고 헤어졌다. 똑똑이는 내게 무슨 일이 있는지 캐묻지 않고 그저 든든히 배를 채워주었다. 그런데도 세상 제일 따뜻한 위로를 받은 기분이었다. 기회가 된다면 내가 받은 방식으로 꼭 되돌려주고 싶었다.

그리고 거짓말처럼 꼭 일주일 후 나에게 기회가 왔다. 지난주 부실했던 합평을 보충하기 위해 똑똑이의 집을 방문했는데 상태가 좋지 않았다. 장염이었다. 마침 휴일이라 병원도 못 가고 끙끙 앓고 있었다. 생각지 못한 상황에 잠깐 난감했다. 결혼생활을 하며 가족 챙기는 일을 제외하고 나의 오지랖력은 제로에 가까웠기 때문이다. 그런 내가 못미더운지 괜찮다고 손사래치는 똑똑이를 눕혀놓고 딸아이가 아팠을 때를 열심히 떠올리며 할 수 있는 일을 생각했다. 먼저 보리차 티백을 꺼내 따뜻한 물에 우리고 미음용 쌀을 찾았다. 햇반뿐이었다. 급한 대로 햇반의 밥을 덜어내 믹서에 갈아 끓였다. 그 와중에 믹서기와 냄비를 못 찾는 나를 위해 똑똑이가 부스럭대며 거들었다. 여차저차 겨우 완성한 묽은 미음 한 그릇을 먹은 똑똑이는 다행히 빠르게 안정을 되찾았다. 그래도 안심할 수 없어 그날은 똑똑이의 집에 머물며 상태를 확인하기로 했다.

다음 날 똑똑이는 집에 돌아가려는 나를 굳이 따라나섰다. 우리는 죽집에 마주 앉아 뜨끈한 전복죽을 시켰다. 핼쑥한 얼굴로 죽을 후후 불어먹는 똑똑이는 짠하면서도 아주 야무져 보였다. 그 모습을 보며 생각했다. '아, 혼자 산다는 건 저렇게 야무지게 변해가는 일이로구나.'

내가 없을 때도 똑똑이는 혼자서 아프고 낫기를 숱하게 반복해 왔을 테고 이번에도 나 없이 잘 해낼 수 있었을 것이다. 하지만 할 수 있는 일과 기꺼이 하는 일은 다르다.

혼자이고 싶지 않은 어떤 순간에는 누군가와 마음을 주고받는 행위가 필요했을 것이다. 그것이 음식이든, 편지든, 따뜻한 말과 미소든, 어떤 형태로든 같은 공간에서 마음을 나누어 줄 이가 있어야 한다는 걸 똑똑이는 알고 있었을 것이다. 나를 부지런히 보살펴 준 건 아마 그걸 먼저 알게 된 선배로서의 배려와 응원이었겠지. 그래서 내가 눈치채지 못하는 사이 틈틈이 나의 얼굴과 말과 마음을 살피다가 필요한 때를 놓치지 않았던 걸 거다.

나는 똑똑이처럼 주변을 부지런히 살필 자신은 없지만 이번처럼 우연히 발견하게 될 순간만은 지나치지 않기로 했다. 이름하여 '최소한의 오지랖'이다. 그동안 사람들에게 너무 부대끼며 살아왔다는 생각 때문에 의식적으로 고립을 선택해 왔던 나는 독립이 타인에 대한 인색함을 의미하는 게 아님을 내 친구 똑똑이를 통해 서서히 배워가는 중이다. 이렇게 좋은 친구가 생긴 걸 보면 내가 선택한 삶이 영 틀려먹은 건 아닌 것 같기도 하다. 그러니 다시 힘을 내볼까?

거리 조정 기간

얼마 전 인터넷 뉴스에서 코로나 실외 마스크 해제를 앞두고 시민들이 외모 조정 기간에 돌입했다는 기사를 보았다. 피부과와 성형외과 예약이 밀리고 화장품, 특히 립 제품 시장이 다시 꿈틀거리고 있다는 내용이었다. 외모 조정 기간이라는 헤드라인이 재밌기도 했지만 내심 찔리는 부분도 있어 순간 빵 터지고 말았다. 나 역시 마스크를 쓰기 시작하면서 전체 화장에서 마스크 윗부분으로, 급기야 기초에 선크림만 바르는 걸로 바뀌는 중이었다. 내 지인 하나는 이 참에 아예 마스크를 쭉 안 벗었으면 좋겠다고 했다. 귀찮은 대화나 시선을 피하기에 딱이라는 것이다. 그는 회식이 없어진 것도 좋고 먼 거리에서 진행되는 강의를 듣느라 오고

가는 수고가 없어진 것도 좋다며 코로나 예찬을 늘어놓았다. 그 말을 듣고 보니 이 지긋지긋한 역병에도 좋은 점이 몇 가지 있었다는 걸 인정할 수밖에 없었다. 하지만 머지않아 사람들은 제2의 피부 같던 마스크를 벗게 될 테고 외모 조정으로 이미 그 서막은 오른 셈이다. 그렇다면 지금 다들 어떤 마음일까? 반쯤은 설레고 또 반쯤은 피곤한 마음일까?

코로나가 아니더라도 급작스럽게 상황이 변하면 때맞춰 자신과 주변을 재정비하는 일은 필수적이다. 나 역시 독립 후 일 년간 새로운 생활에 적응하고 안착하느라 제법 애를 썼다. 힘쓰고 애써서 해낸 일들이 대부분이지만 나도 모르는 새 바뀌는 것도 있었다. 그중 정말 내내 모르고 있다가 며칠 전에야 아, 하고 눈치챈 게 하나 있다.

한 달에 한 번 있는 합평 모임에 나간 날이었는데 커피 주문을 하다 휴대폰을 깨 먹었다. 나는 휴대폰 대리점을 하는 후배에게 전화를 걸었다. 십 년 넘게 우리 가족의 휴대폰을 관리해 주는 후배는 원하는 기능만 말하면 요금 변동 없는 선에서 최대치의 컨디션으로 폰 변경을 해주곤 했다. 이번에도 별생각 없이 "나야, 잘 지냈지?" 하고 인사를 건네는데 후배의 대답이 심상치 않았다. 정확하게 말하면 뭐랄까 내용보다는 어감이 그렇달까. "누나는요. 잘 지내고 있어요?" 하는데 걱정스런 표정이 실시간으로 보이는 듯한 느낌이었다. 게다가 보통은 퀵으로 해결하던 일을 굳이 집까지 찾아오겠노라고 하는 게 아닌가. '어, 혹시 알고 있나?' 싶으면서도 나는 약간 조심스러운 마음으로 내 집의 주소를 찍어 보냈다. 후배는 대학 CC였던 m과 나의 공통 분모였고, 몇 달 전만 해도 m은 우리 관계의 변화를 외부에 알리고 싶지 않은 눈치였기 때문이다.

다음 날 아침 일찍 집 앞 주차장으로 찾아온 후배는 빙빙 말을 돌리다 왜 주소가 오피스텔인 거냐고 물었다. 나는 솔직해 대답했다. 크게 놀라지 않는 걸 보니 역시 알고 있었나보다. 속으로 차라리 다행이라고 생각했다. 후배는 내게 휴대폰과 케이스, 폰 살균기, 스타벅스 텀블러, 1인용 간이 테이블, 장바구니까지 푸짐한 사은품을 건넸다. 1인용 테이블 즈음에서 이 자식 분명히 알고 있었군, 하는 확신이 들었다. 그리고는 "아싸! 이거 필요했는데."를 외쳤다. 그 바람에 둘 다 웃고 말았다. 어떻게 보면 최초의 공식적인 커밍아웃이었는데 의외로 평범하고 편안했다. 멀리까지 직접 와 준 게 고마워 밥을 사려했는데 후배는 요즘 다이어트 중이라 아침을 헤비하게 먹고 왔다며 사양했다. 나는 "둘이서만 만나는 건 좀 어색하니까 훈이랑 같이 와, 술 대신 밥 사주께."라고 다음을 기약하며 후배를 보냈다. 그런 말을 하는데 마음이 이상했다. 이제는 내가 m의 세트가 아니라 그냥 나로구나 하는 생각이 들었다.

m과 연애를 시작했을 무렵의 일이다. 평소 스스럼없이 지내던 남자 성별 친구들의 태도가 일시에 돌변했다. 이유를 몰랐던 나는 무척 서운해하다 하루는 술자리에서 한 친구에게 따져 물었다. 그러자 친구는 "네 남자친구한테 예의가 아니야." 하고 단호하게 말을 끊었다. 처음 연애를 시작한 나의 어리숙함도 한몫하긴 했지만 평소 속 깊은 이야기를 주고받던 친구가 그렇게 말을 하니 더는 어쩔 도리가 없었다. 그 후로 내 주변의 남자 사람 친구들은 하나둘 정리가 되었다. 가끔 눈치 없이 친한 척하는 친구가 있으면 어김없이 m과 크게 싸웠다. 결국 친구들의 소식이나 모임 일정같은 것은 m을 통해 내게 전달되는 구조로 내내 유지되었다. 그게 너무 답답해서 가끔 친구들에게 불만을 표시하면 돌아오는 대답은 한결같았다.

"네 남편처럼 자상한 애가 어딨냐. 투정 부리지 마."

실제로 학교 친구들과의 모임에 동반 참석을 하면 m은 어디에 앉아 있든 나를 끊임없이 챙겼다. 덕분에 친구들 사이에서 나는 단 한 순간도 혼자일 수 없었는데 그게 때로 굉장히 외롭게 느껴졌다. 첫 연애가 결혼으로 연결되는 바람에 내게는 친구가 별로 없었다. 기껏해야 아이를 키우며 만나는 엄마들 뿐이었는데, 그들에게 나는 내가 아닌 누구의 엄마이자 아내이자 며느리일 뿐이었다. 그런 관계는 아이가 자라고 학교를 졸업하거나 이사를 하며 수시로 끊어지고 새로 만들어졌다. 직장 동료들과도 마찬가지였다.

누군가와 관계를 맺으면 그 누군가와 각각 크고작은 의미를 담은 거리가 생겨난다. 좋아하는 사람과는 가깝게, 싫어하는 사람과는 머얼리 간격을 벌리기도 한다. 돌이켜보면 나는 그런 거리를 오밀조밀 만들어 보고 싶었던 것 같다. 이따금 그런 간격들을 살펴보며 내가 어떤 사람인지 어느 정도쯤에 서 있는지 가늠해 보고 싶기도 했던 것 같다. 나라는 사람. 누군가의 필터가 씌워지지 않은 순도 높은 나를 찾고 싶은 마음. 찾는다기보다 이제 막 만들어지기 시작한 나에게도 거리 조정 기간이 필요한 것 같다. 필요 이상으로 들러붙어 있던 관계는 떼어 내 조금 거리를 두고, 멀찌감치 두고 보던 관계는 적당히 끌어당기고. 마치 음향기기의 이퀄라이저를 맞추듯 나에게 가장 편안한 조합을 만들어 내는 것이다. 눈치채지 못하고 있었지만 이러한 과정은 서서히 아주 자연스럽게 이루어지는 중이다. 그걸 알게 해준 후배에게 잊지말고 밥을 한번 사야겠다.

알고 싶지 않아도 알아지는 것

최근 오피스텔에 재미있는 사건이 생겼다. 누군가 엘리베이터 안에 쪽지를 써 붙인 것이다. 3층 주민이라고 밝힌 그는 실내 흡연과 층간 소음을 주의해 달라고 부탁했다. 건물 전체가 금연인데다 여럿이 모여서 사는 곳이니 당연한 요구라고 생각되었다. 그즈음 내 방 화장실에서도 밤이면 환풍구를 통해 담배 냄새가 올라오는 중이어서 잘됐다 싶기도 했다. 하루 만에 기다렸다는 듯 동의하는 쪽지가 몇 개 더 붙었다.

그런데 다음날, 아마 문제의 흡연자 중 하나일 듯한 사람의 쪽지가 맨 위쪽에 터억 자리 잡았다.

- 익명 말고 호수 밝히고 당당하게 얘기할 자신 있으면 여기에 글 쓰세요. ㅋ

미안하다거나 사과한다는 내용과는 거리가 멀었다. 이어 반박의 쪽지가 그 위에 또 붙었다.

- 저도 흡연자인데 밖에서 피거든요? 뭔 호수 드립이야 중학생인가. 양심 챙기세요. ㅋㅋ

이로써 소리 없는 전쟁이 시작된 것이다. 나는 쪽지 전쟁에 참여하지는 않았지만 진행 상황을 아주 유심히 관찰했다. 나와도 직결된 문제이기 때문이었다. 특히 실내 흡연 같은 경우 경비실에 얘기해 봐야 안내방송 정도뿐 근본적인 해결책이 없었다. 쪽지 역시 해결책은 안 되겠지만 적어도 실내 흡연자들이 조심하는 계기 정도는 될 것 같았다.

쪽지의 개수는 시시각각으로 늘어났고 그럴수록 내용도 더욱 험악해졌다. 그러자 처음에 흥미롭게 읽어나가던 쪽지의 내용이 차츰 옳고 그름을 떠나 그 자체로 불쾌하게 느껴지기 시작했다. 그만 정리를 부탁하러 경비실에 두어 번 찾아갔지만 번번이 문이 잠겨 있어 말할 기회가 없었다. 하는 수 없이 총 세 대의 엘리베이터 중 쪽지가 붙지 않은 두 대만 이용하기로 했다. 그건 생각보다 많은 불편을 감수해야 하는 일이었다. 더위에 시달리며 무거운 가방을 메고 기다리면 이상하게 쪽지 붙은 엘리베이터가 먼저 도착했고, 나머지는 내려오는 데 한참 걸리거나 사람이 많았다. 그러다 보니 차츰 짜증이 났다. 이 더운 여름날 불필요하게 시간과 에너지를 소모하는 게 불만스러웠고 이런 상황을 만든 쪽지의 주인공들과 이를 지켜보기만 하는 관리실에도 화가 났다. 며칠 동안 엘리베이터를 기다리며 속으로 투덜거렸다. '도대체 뭐 하는 짓이야.'에서 시작한 투덜거림은 점점 쌍시옷이 포함된 욕으로 수위를 높여갔다. 마치 쪽지의 내용이 점점 험악해지는 것과 같은 일이 꼭 다문 내 입 속과 머리에서 재생되는 느낌이었다. 그 느낌이 또다시 화를 끌어올렸다. 밤중에 방으로 옅은 담배 냄새가 올라오면 나는 화장실로 뛰어 들어가 발을 구르며 소리쳤다.

"담배 피지마. 이XX야!"

결국 쪽지 전쟁은 일주일을 조금 넘겨 종료되었다. 별다른 결론은 없었다. 대신 실내 흡연 금지 안내문과 방송이 확대되었고 화장실로 올라오던 담배 냄새가 한결 뜸해졌다. 하지만 워낙 들고나는 사람이 많은 건물이다 보니 같은 문제가 금세 반복될 것이다.

좀 더 넓은 집에서 가족들과 살던 때는 크게 체감하지 못했던 일이 생활공간이 작아지고 밀집되자 한층 가깝게 다가온다. 마치 멀리 있는 풍경을 망원렌즈로 확 끌어당겨 보는 듯하다. 그래서인지 나의 반응 역시 이전에 비해 과장되어 표출되는 것 같다.

사실 쪽지 전쟁이 일어나기 전의 나는 새벽녘에 이따금 올라오는 담배 연기에 인상을 쓰면서도 침대에 누워 아래층 몇 호실인가에서 변기에 쪼그리고 앉아, 혹은 샤워부스의 문을 닫고 들어가 환풍기를 틀고 담배 피우는 누군가를 상상했다. '그래, 이 새벽에 일 층까지 내려가서 담배를 피우고 올라오기가 귀찮고 힘들기도 하겠지. 매일은 아니니까. 가끔씩은 참아 줘야지 뭐, 어쩌겠어.'하고 넘기곤 했다. 그 때까지만 해도 그렇게 못 참을 정도로 화가 나진 않았다. 쪽지를 써 붙인 사람도, 그에 대응한 사람도 아마 나처럼 처음부터 그렇게 화나 있지는 않았을 것이다. 단지 우리가 서로를 모르기 때문에, 모른다고 생각하기 때문에 나의 입장이 먼저 눈에 들어왔을 뿐일 것이다. 평화로운 소통의 시도처럼 보였던 쪽지에는 그런 각자의 입장에 좀 더 무게가 실렸을 테고 이해받지 못했다고 생각한 누군가는 무작정 억울하고 화가 났을지도 모른다. 하지만 그걸 안다고 해서 뾰족한 대책이 떠오르진 않았다. 단지 내가 누군가를 이해하려고 노력하는 만큼 그도 그래 주길 바랄 뿐이다. 그리고 한 가지 더, 나만의 공간에서 혼자 사는 삶이 나를 옹졸하고 이기적으로 만들지 않기를 바랄 뿐이다.

울면서 고개 넘던 각시는

오랜만에 할머니 꿈을 꿨다. 공모전을 앞두고 쓰던 소설에 진전이 없어 시무룩하게 잠든 밤이었다. 반가운 마음에 할머니 품에 얼굴을 파묻고 마구 비비며 냄새를 맡았다. 얇은 옷감 아래 물렁하고 축 늘어진 가슴과 바세린 로션 냄새가 느껴졌다. 언제나처럼 할머니는 "오메, 장한 내야새끼."하며 내 머리를 쓰다듬었고 나는 나의 무엇이 장한지도 모른 채 종알대며 응석을 부렸다. 꿈에서도 그게 꿈이라는 걸 알고 있어서 깨기 전에 옛날이야기 하나만 해달라고 졸랐는데 결국 듣지 못했다. 그래도 왠지 종일 마음이 든든했다.

꿈에서 할머니는 늘 말수가 적지만 살아계실 때는 조르

면 조르는 대로 끝없이 이야기를 만들어 내던 분이었다. 일하러 나간 엄마를 대신해 할머니가 우리 자매를 보러 온 날이면 우리는 할머니 곁에 조롱조롱 매달려 이야기를 들었다.

"옛날옛적에 각시가 살았더란다. 각시는 오입쟁이 서방이 장에 가서 몇 날이 지나도락 안 돌아오자 울면서 찾아 나섰지. 잉잉 울면서 노오픈 고개를 넘는디 해필 오짐이 마려운 거라……"

오입쟁이라는 게 뭔지는 몰랐지만 우리 중 누구도 이야기를 끊지 않았다. 한낮에 있는 힘껏 뛰어놀며 기운을 뺀 다음이었기 때문이다. 하지만 그러지 않아도 할머니의 표정과 말투, 울며 찾아 나선 각시로 미루어 적어도 오입쟁이가 오이를 좋아하는 오이쟁이 같은 게 아니라는 것쯤은 짐작할 수 있었다. 게다가 느릿하고 높낮이 차가 거의 없는 목소리에는 묘한 호소력이 있어서 우리는 숨죽이고 이야기에 빠져들었다. 할머니는 각시와 서방, 구렁이로 온갖 이야기를 만들었다. 낮아진 해가 방안 깊숙이 들어오는 적막한 오후. 몸은 쉬고 눈과 귀, 그리고 저마다의 상상력만이 활개 치는 마법 같은 순간이었다.

오줌이 마려운 각시는 풀숲에 숨어 일을 보고 난 후 느닷없이 배가 불러오고 열 달 후 구렁이를 낳는다. 거기서 끝나면 이야기의 주제는 노상방뇨 금지가 된다. 여자는 아무 데서나 오줌을 싸면 안 되지만 만약 각시처럼 도저히 참을 수 없는 상황이라면 먼저 바닥에 침을 세 번 뱉고 발로 싹싹 문질러야 한다고 할머니는 엄숙하게 당부하곤 했다.

이야기가 조금 더 나아가면 태어나자마자 어딘가로 달아난 구렁이가 다시 등장한다. 구렁이는 달아난 게 아니라 실은 구들장 밑에 숨어 살고 있었는데 어느 날 오입쟁이 서방의 횡포를 저지하기 위해 꾸물꾸물 기어 나온다. 그렇게 되면 속 시원한 복수극이 펼쳐진다. 그쯤 되면 보통 자매들은 모두 곯아 떨어지지만 가끔 나 혼자 말똥말똥할 때가 있다. 그러면 모든 이야기의 시초가 되는 각시 외전을 들을 수 있다. 이를테면 '각시 더 비기닝' 쯤 된다고 할까. 열셋에 시집온 각시는 열여섯이 되자 첫아이를 가졌는데 그만 낳자마자 죽고 만다. 그리고 둘째, 셋째도 병치레로 얼마 살지 못하고 죽는다. 그렇게 넷째, 다섯째……열셋의 아이가 태어나 이런저런 사연으로 죽는 동안 시집살이는 혹독해지고 서방님의 마음도 멀어지게 된다. 오입쟁이 서방을 울며 찾아가는 각시 이야기의 시작이다. 이제 와 생각하면 무척 슬프고 잔혹한 이야기인데 이상하게 할머니를 거치면 아무

렁지 않았다. 나는 오랫동안 그 이유를 모르다 뒤늦게 엄마를 통해 어렴풋이 짐작하게 되었다.

엄마는 돌아가신 할머니를 자주 그리워했고 그럴 때마다 할머니가 엄마의 엄마이던 시절 이야기를 했다. 다정했지만 바람기 많았던 할아버지, 어린 티를 채 못 벗고 시집온 할머니와 세 살도 되기 전에 죽은 할머니의 아기들. 할머니는 몸이 약했던 나의 엄마도 다른 아이들처럼 죽을까 봐 벌벌 떨며 시집보내기 전까지 직접 밥을 떠먹였다고 한다. 내게는 이미 익숙한 내용이었다.

그토록 재미나게 들었던 이야기 속 각시가 사실 할머니였다는 사실은 깜짝 놀랄만했지만 동시에 역시, 하고 이해가 되기도 했다. 험난한 삶의 고개를 마주할 때마다 어린 할머니는 잉잉 울면서도 앞으로 나아가지 않을 수 없었을 것이다. 누구도 자기 편이 되어주지 않아 무섭고 힘이 들면 이야기 속의 구렁이를 지팡이 삼아 한 걸음씩 걸어갔겠지. 그러다 난데없이 오줌이 마려워 쩔쩔매기도 했을 것이다. 난감한 상황을 혼자 해결하기 위해 바닥에 침을 퉤퉤 뱉고 발로 싹싹 문질렀을 야무진 할머니를 생각하면 지금도 웃음이 나면서 힘이 불끈 솟는다. 길고 지난한 시간을 거치는 동안 마치 구들장에 숨어 있다 꾸물꾸물 기어 나온 구렁이처럼 힘 있고 유연해진 할머니의 이야기는 자라는 동안 나에게도 내내 의지가 되었다. 나는 대학입시에 실패했을 때나 독감에 걸려 심하게 앓았을 때, 졸립거나 배고플 때도 상비약처럼 할머니의 이야기를 떠올렸다.

오래전 울며 고개 넘던 각시는 이제 세상에 없다. 대신 이따금 꿈속에서 나를 찾아온다. 예전처럼 많은 이야기를 하지는 않는다. 그저 "오메, 장한 내야새끼."하며 머리를 쓰다듬어 줄 뿐이다. 하지만 그것만으로도 나는 할머니처럼 야무지게 잘 살아갈 수 있을 것만 같다. 왜냐하면 우리는 같은 이야기를 나눈 사이이기 때문이다.

다시 배우는 세계

자전거 타기

자전거 타는 취미가 생겼다. 아직은 간간이 출퇴근 길이나 도서관에 오가며 타는 게 전부지만 탈 때마다 꽤 근사한 기분이 든다. 뭐랄까, 걷는 것보다 속도감이 있고 차 안에 있는 것보다는 상쾌하다고나 할까. 페달을 밟아 바퀴를 굴릴 때 허벅지와 종아리에 뻐근하게 힘이 들어가는 느낌도 왠지 뿌듯하다. 나는 자전거의 속도만큼 얼굴로 불어오는 바람을 맞으며 전원이 꺼진 채 방치되었던 몸이 오랜만에 삐걱거리며 작동하는 상상을 한다. 상상 속의 내 얼굴은 발그레 생기가 돌고 반짝이는 눈에 부드러운 미소를 띠고 있다. 하지만 현실은 99.9 퍼센트의 확률로 그렇지 않을 것이다. 앞머리가 바람에 날려 5:5로 갈라져 있을 테고 숨을 몰아쉬느라 콧구멍은 벌렁, 중심을 잡으며 전방을 주시하는 눈 역시 한껏 찡그린 모습일 게 뻔하다. 아마 맞은편에서 누군가 날 본다면 흠칫 놀랄지도 모르겠다. 그럼에도 자전거 타기를 멈출 수가 없다.

성인이 되고 나서 자전거를 타 본 건 6~7년 전쯤이다. 복잡한 서울에서 안산으로 이사 온 후였다. 안산은 내가 살던 동네보다 대체로 한산했다. 마침 시에서 운영하는 공유 자전거가 있기에 눈독을 들이다 한 번 타 봤다. 보기보다 안정감이 없었다. 거치하는 정류소도 따로 정해져 있어 번거로웠다. 그 후로 한번 타 볼까 하다가도 금세 마음을 고쳐먹곤 했다. 출근길에는 회사와 가까운 정류소가 없었고 퇴근하고 집에 오는 길에는 번번이 장 볼 것과 쌓인 집안일이 먼저 떠올랐다. 게다가 운동신경이 뛰어나지 못한 나에게 자전거 타기란 또 하나의 도전 과제 같은 것이었다. 그렇게 머릿속으로 이런저런 상황을 재다 보면 나도 모르게 에너지를 최소화시키는 방향으로 몸을 움직이게 되었다. 정류소를 찾는 것도 귀찮고 힘을 들여 페달을 밟거나 느긋하게 저녁 바람을 맞는 일이 모두 허튼짓처럼 여겨질 뿐 별다른 감흥이 일지 않았다. 다시 자전거에 눈을 돌리게 된 건 올해 초쯤이었다. 시에서 낡은 공유 자전거를 싹 거둬들이더니 새로운 시스템을 도입했다고 홍보했다. 이름은 '에브리바이크'. 일반 유료 바이크처럼 사용 후 큰 길가 아무 곳에나 세워두고 큐알 인증을 하면 되었다. 아니나 다를까 길을 지나다 보면 하늘색의 산뜻한 자전거가 종종 눈에 띄었다. 흥미가 생겼다. 더구나 퇴근 후 장을 보거나 저녁 준비할 필요가 없어진 뒤로 회사에 있는 동안을 제외하면 고스란히 나만의 시간이었다. 몸과 마음에 충분한 여유가 있었다. 하지만 그때만 해도 자전거 타기가 내게는 작은 도전이었다. 타 볼까 말까 고민하다 그냥 지나치기도 하고, 퇴근 시간이 가까워지면 어플로 주변에 주차된 자전거가 있나 공연히 찾아보기도 했다. 그래도 짜증스럽지 않았던 건 그렇게 고민하는 순간조차 조금 즐거웠기 때문이다. 오늘은 그냥 지나치지만 마음만 먹으면 언제든 자전거에 올라탈 수 있어, 라고 생각하는 것만으로 기분이 좋아졌다. 나는 마치 맛있는 음식을 언제 먹을까 궁리하는 사람처럼 호시탐탐 기회를 노리다 마침내 자전거 타기를 실행에 옮겼다.

일요일 저녁이었고 동네 서점 북클럽에 참석했다 돌아오는 길이었다. 인적이 드물어져 고요한 거리와 주황색의 은은한 가로등 빛에 불쑥 용기가 났다. 이 정도면 장애물도 없고 넘어져도 창피하지 않겠다 싶어 자전거를 찾았는데 막상 타려고 하니 긴장이 되었다. 사용법을 꼼꼼히 읽어보고 핸들도 이리저리 돌려보다 살짝 엉덩이를 걸쳤다. 안장이 높아 발이 땅에 닿지 않았다. 낑낑대며 안장을 조절하고 엉거주춤한 자세로 자전거와 몇 걸음 전진한 끝에 드디어 힘차게 페달을 밟았다. 속도가 의외로 빨라 몸이 휘청였다. 식은땀을 흘려가며 애를 쓰다 겨우겨우 안정을 찾았다. 그러자 문득 평소와 다르게 움직이는 팔다리의 감각이 느껴졌다.

'와, 내가 달리고 있구나!'

절로 콧노래가 나왔다. 핸들 앞 바구니에 넣어둔 가방이 도로의 얕은 굴곡에 맞추어 달그락거리며 리듬을 맞추었다. 이런 기분이라니, 이렇게 상쾌하고 느긋한 기분이라니. 이 좋은 걸 왜 여태 미루고 있었나 싶을 정도로 마음이 달아올랐다. 흥에 겨운 채 한참 가다 보니 다른 자전거 몇 대가 쌩하니 앞질러 지나쳤다. 앗! 내 나름으론 아찔한 속도감을 즐기고 있었는데. 무자비하게 멀어지는 그들을 보자 웃음이 났다. 그리고 내 속도 뭐야, 하는 현타와 함께 마음이 한층 더 가벼워졌다. 초반의 긴장감이 무색할 지경이었다. 그렇다면 나도 질 수 없지. 상체를 앞으로 숙이고 페달을 밟은 발에 힘을 실어 속도를 높였다, 가 다시 낮췄다. 아직은 무리였다. 그래 나에게 맞는 속도로 차근차근 가보지 뭐. 어쨌든 첫발은 내디뎠으니 일단은 성공이다.

자전거가 가르쳐준 것

자전거 타기의 첫 테이프를 끊고 나자 수시로 몸이 근질거리기 시작했다. 한두 번은 처음처럼 한산한 시간대를 골라 자전거를 탔다. 이제는 아예 편한 복장에 선글라스까지 챙겨서 집을 나선다. 다른 사람들처럼 오전 일찍 출근하지 않아도 되기 때문에 조금 서둘러 나서면 아침저녁으로 자전거를 탈 수도 있다. 하지만 내리고 나면 땀이 나기 때문에 아직 출근 시간에 타 본 적은 없다. 그보다 주로 집에 도착해 바로 씻을 수 있는 퇴근 시간에 자전거를 탄다.

한 가지 신기한 건 목적지가 변한 게 아닌데 차를 타거나 걸어 다닐 때와 자전거를 탈 때의 동선이 미묘하게 다르다는 점이다. 늘 다니던 길 한쪽에 자전거 도로가 함께 있기도 하지만 어떤 구간에서는 길이 갈린다. 서로 멀리 떨어져 있는 건 아니고 야트막한 화단이나 둔덕, 가로수를 사이에 두고 평행하게 이어지는 길이다. 그곳으로 들어서면 자동차와 사람은 안 보이고 양옆으로 나무와 풀이 가득이다. 마치 산책로처럼 잘 가꾸어진 자전거 도로를 달리는 기분은 너무 좋아서 여태 도로가에서 먼지를 들이켜며 다닌 게 억울할 정도다. 또, 안산을 길게 관통하는 하천 근처를 지날 때는 천변 가까이 내려가 자전거를 탄다. 물이 흐르는 한쪽이 툭 트여 조금 아슬아슬한 기분이 들지만 역시나 빼놓을 수 없는 즐거움이다. 특히 돌돌 제법 세차게 흐르는 물소리를 들으면 머리가 맑아지는 것 같다.

자전거를 타고 집에 도착하면 샤워하고 냉장고에 넣어둔 야채 주스를 마신다. 멸균우유처럼 팩에 든 주스인데 정말로 그런지는 모르겠지만 달지 않고 건강한 맛이라 왠지 챙겨 먹게 된다. (이름도 OO야채즙이다) 가볍게 긴장되었던 다리를 주먹으로 툭툭 치며 주스를 마시고 난 후에는 책을 읽거나 영화를 본다. 그러다 노트에 뭔가를 끄적여 두기도 한다. 대개 소설을 고칠 때 참고할 내용들이다. 물론 매일 그렇게 부지런 떨지는 못 하지만 자전거 탄 날에는 평소보다 몸이 가볍고 의욕이 높아지는 편이다. 이것도 참 신기하다.

나는 왜 느닷없이 자전거가 좋아졌을까?

생각해 보면 많은 걸 한 것도 아니고 고작 자전거를 타기 시작했을 뿐인데 이전에 다니지 않던 길을 다니고 보지 못한 것을 보게 되었다. 그 덕에 매일이 조금 더 즐거워졌다. 어쩌면 남들은 이미 다 알고 있는 즐거움인지 모르지만 자전거를 타는 동안은 그 기분을 오로지 나만 알고 있는 것 같아 우쭐해지기도 한다. 이 유치하고도 하찮은 기쁨은 사실 하찮지 않다. 재산을 불리려면 종잣돈이 필요하고 깊은 곳의 물을 끌어 올리려면 마중물이 필요한 것과 같은 이유이다. 자전거 타기라는 작은 도전에 성공하고 덤으로 새로운 길과 풍경을 발견하는 것은 과거의 내가 번번이 포기했던 일이다. 의무처럼 부과된 일에 질려 다른 걸 해볼 엄두조차 내지 못했던 나. 소극적이고 의욕 없던 나에 대해서라면 어느 정도 우쭐해할 만하다. 그 성취감이 또 다른 작은 도전을 부추겨 성공시키면서 자꾸 앞으로 나아가고 싶도록 만든다.

알고 보면 사소하고도 멋진 도전과 성공들은 어디에든 있다. 문제는 그걸 찾아낼 마중물이다. 내게는 그게 자전거 타기인 셈이다. 그래서 당분간 계속하기로 했다. 콧구멍을 벌름대며 5:5 가르마를 펄럭이면서 말이다. 누군가 그런 내 모습을 보고 놀라지나 않길.^^

나의 은밀한 인스타 생활

인스타그램을 본격적으로 시작한 건 코로나가 시작된 후부터였다. 이전에도 한두 번 시도해 본 적이 있으나 하루 만에 급히 계정을 삭제해 버렸다. 그저 계정을 만들었을 뿐인데 몇 분 지나지 않아 나의 지인들과 모르는 사람들까지 우르르 팔로우 신청을 눌러댔기 때문이었다. 후자는 광고 목적 팔로워들이었다. 게시물도 없는 빈 계정에 무슨 일인가 싶어 알림을 확인하다 불쑥 가슴이 답답해졌다. 이후에도 한 번 독서 기록용 계정이 있으면 좋겠다 싶어 새벽녘에 슬쩍 계정을 만들었는데 그때는 한 시간도 안 돼 삭제했던 것 같다. 도대체 무슨 이유로 그들이 내 활동 상황을 득달같이 알게 되는 것일까. 궁금한 마음에 검색하다 인스타그램이 페이스북과 연동되어 있다는 걸 알게 되었다. 아마 내가 계정을 만들 때 설정을 대충 보고 넘긴 모양이었다.

오래전에 시작한 페이스북에는 가족들, 친구들, 이제는 연락하지 않는 지인을 비롯해 한 다리 건너 지인들의 목록까지 정리되지 않은 채 고스란히 남아 있다. 나는 게시물을 올리지 않지만 이따금 피드에 올라오는 그들의 소식을 확인하고 반가운 마음이 들기도 한다. 그러나 대개는 불필요한 광고와 친구 추천, 페이스북이 알아서 올려주는 게시물 같은 것들 때문에 피로감이 더해지곤 한다. 요청한 적도 없는 취향 파악과 알고리즘 노출, 추천, 추천, 또 추천……. 아! 첨단 과학의 시대에는 내가 좋아하는 것을 손수 찾아낼 자유조차 없는 걸까. 보물찾기하듯 시간 들여 찾아내는 수고에 깃든 기쁨을 빼앗긴 게 나는 못내 심사가 뒤틀리고 짜증스러웠다.

아마 코로나가 아니었다면 그 후로 인스타는 영영 시작하지 않았을지 모른다. 하지만 거리 두기가 꽤 오래 지속되며 그동안 책 읽기와 글쓰기 관련한 오프 모임도 덩달아 불가능해졌고, 소통에 대한 목마름이 쌓여갔다. 정기적인 화상 모임 외에 소소한 감상이나 의견을 나눌 창구를 궁리하다 결국 다시 인스타를 떠올렸다. 이번엔 페이스북이나 연락처와 자동 연동되지 않도록 미리 설정을 바꿨다. 이름 검색이 되지 않도록 계정명도 달리했다. 지인들을 사랑하지만 그들의 취향 모두를 사랑하는 건 아니었기에-예를 들면 먹스타, 술스타, 놀이스타그램 같은 것-순수하게 책과 관련된 이야기만 나눌 공간을 만들기로 했다. 내가 인스타그램을 하고 있다는 걸 가족이나 친구들은 아직 모르고 있다. 덕분에 내 인스타는 페이스북에 비해 클린한 편으로 유지되고 있다.

그러나 사람 마음이란 것이 참 간사하다. 애초에 청정 공간을 목적으로 만든 계정인데도 게시물을 올리면 달리는 '좋아요'에 왜 그리 마음이 들뜨는지. 일하는 틈틈이 괜히 휴대폰을 켜보기도 하고 그 전 게시물보다 호응이 별로다 싶으면 다른 사람들의 게시물에 '좋아요'를 먼저 누르는 일이 잦아졌다. 그것까진 좋았다. 문제는 내가 점차 상대의 게시물을 읽지도 않고 습관적으로 '좋아요'만 빠르게 누르게 되었다는 것이다.

어느 날 아침이었다. 한쪽 눈만 겨우 뜬 채 침대에 누워 마구잡이로 '좋아요'를 누르다 문득 나 지금 뭐 하는 거지? 하는 생각이 들었다. 그러고 나자 똑같은 짓을 브런치에서도 하고 있다는 걸 자각하게 되었다. 브런치는 2년쯤 전에 한 작가님과의 협업으로 동네 명소 소개 에세이를 몇 편 쓴 후, 연재 형식으로 계속해 보라는 권유를 받아 시작한 것이었다. 사실 예의상 시작은 했지만 소설 습작하기도 벅찬 데다 에세이는 써 본 경험이 별로 없어 띄엄띄엄 글을 올리는 중이었다. 그런데 신기하게도 구석에 숨어 게으르게 올리는 글을 찾아내 구독과 하트를 눌러주는 사람이 이따금 한 명씩 생기곤 했다.

쓸 때는 별생각 없이 쓰는데 발행 버튼을 누르고 나면 여지없이 반응에 민감해졌다. 인스타에서와 마찬가지로 글을 올린 날은 하루 종일 휴대폰 알림에 신경이 쓰였고, 한술 더 떠 한가한 날에는 이런저런 글을 검색해 하트와 구독을 남발했다. 목적은 하나였다. 반응을 주고 받는 것. 내가 하트를 두세 개 누르면 그 중 하나는 되돌아왔다. 어떤 날은 열심히 반응을 남겼지만 허탕을 치기도 했다. 그러면 왠지 손해 본 기분이 들고 짜증이 났다. 나도 모르게 관심에 중독되어 가고 있었던 것이다.

침대에 누운 채 '좋아요'와 팔로워는 무슨 의미가 있을까 생각해 보았다. 아주 곰곰이 생각할 필요는 없었다. 별다른 의미가 없었기 때문이었다. 정확히 말하자면 읽지도 않고 누르는 '좋아요'는 나에게나 상대에게나-솔직히 상대에 대해서는 잘 모르겠다. 계정 홍보가 필요한 경우도 있을 테니-허망한 관심일 뿐이라는 생각이 들었다. 특히 나에게는. 결국 나는 인스타와 브런치를 정리하기로 했다. 지금까지 나와 연결된 사람들 중 다음번에 글이 올라오면 끝까지 읽지 않을 것 같다는 판단이 들면 연결을 끊었다. 모든 계정에 일일이 들어가서 게시물과 글을 확인해야 했기 때문에 무척 시간이 오래 걸렸다. 덕분에 안 그래도 미미한 팔로잉 수가 거의 소멸 직전으로 줄어들었다. 내가 연결을 끊은 걸 눈치챈 사람 중 몇은 기분 나빠하며 똑같이 연결을 끊을 것이다. 하지만 그것도 썩 나쁘지 않을 것 같다. 나는 원래 은밀한 활동을 좋아하는 사람이니까 흐흐.

앞으로는 관심 있는 글을 천천히 끝까지 읽어보고 공감이 되면 기쁘게 '좋아요'를 누를 계획이다. 실은 이미 며칠째 그러는 중인데 내가 미처 알아보지 못했던 좋은 감상과 글을 속속 발견하고 있어서 정말로 좋아요. 다. 한 가지 걱정되는 건 내가 올린 게시물이 관심받지 못하고 묻혀버리는 게 싫어 은근슬쩍 이전으로 돌아가지 않을까 하는 거다. 그렇게 되는 건 정말 싫다. 하지만 미래의 나를 장담할 수 없으니 이 글은 그때를 대비해 미리 써두는 처방전인 셈이다.

우리 찌질한 젊은 날과 늙은 날

친구 은을 만나러 서울대입구에 갔다. 은이 뜬금없이 얼굴이나 보자며 연락을 해왔기 때문이다. 거리가 있으니 중간지점에서 만나자는 말에 그럴까 하다 내가 가겠다고 했다. 식빵 가게를 오픈 한 지 몇 년 됐는데 한 번도 안 가본 게 미안해서였다. 하지만 막상 그녀를 만나려니 영 껄끄러운 기분이 들었다. 대학 동기인 은과 나는 학교에 다니는 동안 거의 한 몸처럼 붙어 다녔다. 서로에 대해 속속들이 알다 못해 취향과 스타일까지 비슷해진 우리를 선배들은 쌍둥이라 불렀다. 그런데 어쩌다 이렇게 데면데면한 사이가 됐을까. 이따금 동기 모임에서 만나는 게 전부였던 그녀의 전화를 받고 나는 속이 좀 울렁거렸다. 잊고 있던 첫사랑의 기억이 떠올랐기 때문이다. 나에게는 첫사랑이지만 은에게는 아마 아니었을 구(씨)선배와의 얼키고 설킨 삼각관계. 여기서 포인트는 '은에게는 첫사랑이 아니었을'이다. 이렇게나 깨알같이 유치하고 옹졸할 수 있다니. 오래되어 기억조차 가물가물한데 감정만은 여전히 앙금처럼 남아 있었던 모양이다. 여름휴가 첫날, 예전처럼 태연한 척하며 은을 만나야 할지 확신이 없는 상태로 단지 약속을 지키기 위해 꾸역꾸역 집을 나섰다.

구선배는 같은 과 선배이자 사진동아리 회장이었다. 학기초 전공 서적을 몽땅 공짜로 넘긴다는 게시물에 혹해 동아리방에 찾아갔던 나는 그의 잘생긴 외모에 더더욱 혹해 바로 동아리 가입을 하고 말았다. 함께 갔던 은도 얼떨결에 가입신청서를 썼다. 그 후로 선배와 나, 은은 자주 어울렸다. 대개는 우리가 선배를 쫓아다니는 모양새였다.

학과 특성상 은과 나는 자주 제도실에서 밤을 새우곤 했다. 잠이 쏟아지는 새벽녘이면 우리는 병 소주와 새우깡을 들고 운동장으로 나갔다. 어느 정도 술기운이 오르면 덕질하듯 오늘자 선배 이야기가 오가고 은은 말보로 레드를 멋들어지게 피우며 고백해 보라고 나를 충동질했다. 나는 언제 어떻게 해야 가능성이 높을지, 거절당하면 아예 못 보는 건 아닐지와 그의 입대 시기까지 미리 점쳐보느라 늘 미적거렸다. 그러다 어느 순간 은이 초조해하고 있다는 걸 눈치챘다. 쌍둥이처럼 닮았지만 그녀와 나의 다른 점은 실행력이었다. 선배가 입대하고 2학기 종강 파티에서 은에게 그와 사귀기로 했다는 말을 들었다. 하필 모양 빠지게 김치찌개를 퍼먹던 중이었다. 나는 움찔했지만 곧 고개를 끄덕였다. 심지어는 "정말 괜찮아?"하고 묻는 은에게 웃어 보이기까지 했다.

휴가 나온 선배와 은, 나는 이전처럼 함께 어울렸고 그러는 동안 나는 그들 연애의 시작과 끝을 모두 지켜보았다. 어디 잘되나 보자 하는 오기가 절반, 역시 난 쿨한 사람이라는 허세가 절반이었다. 그러지 말걸. 차라리 화내고 절교를 할걸. 사당에서 신림역 방향 2호선으로 갈아타며 잠깐 그런 생각을 했다.

골목 입구 작은 가게 안에 앞치마를 두르고 뭔가를 부지런히 하는 은이 있었다. 문을 열고 들어가자 그녀가 활짝 웃으며 나를 보았다.

"야아~, 뭐야!"

이미 만나기로 약속했으면서도 우리는 조금 당황한 사람

들처럼 어색하게 손바닥을 부딪쳤다. 은이 문 닫을 준비를 하는 동안 나는 그녀가 내려준 커피에 올리브빵을 찍어 먹었다. 짭짤하고 고소하고 쫄깃했다.

"m은 잘 있지?"

은이 전남편의 안부를 물었다.

"몰라. 나 이혼했는데. 너는 연애 안 하냐?"

"연애는 무슨."

숯불에 삼겹살을 구우며 나누는 대화는 걱정과 달리 심상하기 그지없었다. 마치 어제 보고 또 보는 사람들처럼 아무렇지 않아 오히려 이상할 정도였다. 달라진 게 있다면 은이 담배를 끊었다는 것과 주량이 예전 같지 않다는 것 정도였다. 우리는 예상보다 빠르게 술에 취했고 대화는 과거와 현재를 거침없이 오갔다. 구선배 이후 은은 이렇다 할 연애를 못 했다고 했다.

"너는 내 첫사랑 뺏어간 것도 모자라서 막판에 대신 연락 좀 해달라고 울고불고 온갖 진상을 떨더니 결국 헤어지냐?"

"그럼 어떡해. 그 새끼가 전화를 안 받는데. 근데 웃기다. 왜 선배가 그때 니 전화는 냉큼 받았지? 둘이 뭐 있었냐?"

순간 뜨끔했다. 은과 헤어질 즈음 정말로 선배가 내게 연락을 자주 했기 때문이었다.

"뭔 소리야. 나 그때 m이랑 사귀고 있었는데."

"그니까 웃기지. 말해봐 뭐 있었지, 맞지?"

이십 년 전의 감정을 옹졸하게 붙잡고 있는 건 은도 마찬가지였다. 흐릿한 눈으로 은을 바라보다 웃음이 터지고 말았다.

"야아~웃지 마. 점쟁이가 나보고 결혼은 글러 먹었대. 이제 평생 혼자 살아야 된다고오."

정말로 눈물을 그렁거리며 은이 작게 절규했다. 나는 나처럼 이혼할 바에야 혼자 사는 게 속 편하지 않냐고 아주 배부른 소리 하고 자빠졌다고 눈을 부라렸다. 이번에는 은이 키득거렸다.

"울다 웃으면 똥꾸멍에 흰털 난다."

"진짜? 내일 아침에 흰털 났는지 확인하고 가."

결국은 돌아 돌아 같은 모습으로 만난 우리는 여전히 한심하고 웃겼다. 서로의 찌질함을 실컷 보여줄 친구를 다시 찾은 기분은 마음 속 묵은 앙금을 털어버리기에 충분할 만큼 강력했다. 다음날 은이 끓여 준 해장라면까지 야무지게 먹고 집으로 돌아오는 길에 카톡을 보냈다.

"구와 내가 무슨 일이 있었는지 알고 싶으면 꽃등심을 준비해라. 캬캬!"

곧바로 답장이 왔다.

"네 이녀어어언!!!!"

아무래도 다음엔 은을 위해 그럴듯한 야설을 하나 준비해야 할 것 같다.

- 사실 은과는 통화만 한번 하고 만나지 못했다. 이제 책에 그의 이야기를 썼으니 만나러 가야겠지.

슬기로운 격리 생활 1

지난주, 드디어 코로나에 걸렸다. 드디어, 드디어 라니……. 그리운 님처럼 오매불망 기다린 것도 아니고…….사실 나도 모르게 확진을 기다리게 된 건 어쩔 수 없는 이유가 있었다. 증상이 시작된 건 목요일 퇴근 후 집에 돌아와 물을 한 모금 마신 순간이었다. 냉장고에서 꺼낸 찬물을 컵에 따르기 귀찮아 병째로 들고 마시다 목에 걸린 것이다. 그러나 겨우 물이 목에 걸린 것뿐인데 이상하게 시간이 지나도 슬그머니 내려가질 않았다. 그날은 할 일이 많아 마음이 바빴기에 개의치 않고 책상에 앉았다. 일주일 후 합평받을 소설을 제출해야 했는데 고작 200매 원고지로 스무장 정도밖에 진도를 뽑지 못하던 참이었다. 하루에 적어도

10장씩은 써야 제때 소설을 마무리할 수 있었다. 나는 노트북을 켜고 앉아 머리를 쥐어짜며 연신 콜록콜록 기침을 했다. 그래도 목의 깔깔함이 가시지 않고 오히려 더욱 불편해졌다. 자려고 침대에 누워서도 기침이 산발적으로 튀어나왔다. 분명 계기가 있다고 여겼기 때문에 무시하고 억지 잠을 청하다 아무래도 꺼림칙해 코로나 검사용 키트를 꺼냈다. 예상대로 결과는 음성이었다.

다음날인 금요일은 오전까지 별 이상이 없었다. 밤새 불편하던 목도 나아졌다. 그러다 퇴근을 몇 시간 앞두고 몸이 추워지기 시작했다. 옷이 닿는 피부도 날카로운 것에 쓸린 듯 아팠다. 하지만 그날따라 유난히 에어컨 온도가 낮았고 더워하는 사람이 많아 서큘레이터까지 작동시켜 두었던 참이었다. 나는 조용히 투덜거리며 일을 마쳤다. 그저 가벼운 몸살이려니 생각하고 집에 오는 길에 냉장고에 판피린이나 타이레놀이 있었던가 했을 뿐이었다.

증상이 심해진 건 그날 밤이었다. 판피린을 한 병 먹고 일찌감치 잠자리에 들었는데 식은땀이 나면서 온몸이 아프기 시작했다. 두통과 오한, 콧물에 목이 심하게 부어올라 고막이 찢어질 듯 짓눌리는 느낌이 들었다. 결국 혼자 낑낑대다 다시 키트를 꺼냈다. 이번에도 역시 결과는 음성이었다. 이미 두어 달 전에 감기몸살에 걸려 삼 일 내리 신속항원 검사를 받은 경험이 있었기에 무슨 감기가 이렇게 독하지, 하며 판피린 한 병을 더 먹고 잠을 청했다.

토요일도 마찬가지였다. 일어나자마자 마지막 한 병 남은 판피린을 먹고 책상에 앉았다. 여전히 모든 증상이 남아 있었지만 소설 초고를 완성하려면 꾸역꾸역 움직여야 했다. 그리고 저녁이 되어 다시 키트를 꺼냈다. 일요일에 똑똑이와 만나 점심을 먹기로 했기 때문이었다. (회사에서 지급받은 키트를 이렇게 유용하게 써먹을 줄은 몰랐다. 적어도 올 여름에는 마스크를 벗을 줄 알았는데 말이다. 안 버리고 둔 게 얼마나 다행인지) 세 번째도 결과는 마찬가지였다. 슬슬 짜증이 나기 시작했다.

이렇게 아픈데 왜 음성인 거야!

하지만 아무리 쳐다봐도 키트는 확고한 한 줄이었다. 심지어 똑똑이와 만나기로 한 일요일 아침에는 증상이 조금 호전되기까지 했다. 여차하면 약속을 취소하려던 나는 예정대로 똑똑이를 만나 자전거를 타고 점심을 먹었다. 똑똑이는 내 목소리가 변한 걸 대번에 알아차렸다.

"감기 걸렸구나?"

"응."

"잘 불렀네, 내가. 역시 촉이 좋아."

"영 이상해. 아무리 생각해도 증상이 코로난데 음성이란 말이지."

그런 대화를 나누며 밥을 먹고 집으로 돌아와서는 한결 몸이 나아진 느낌이었다. 역시 코로나가 아니었구나 안심하던 나를 놀래킨 건 똑똑이였다.

화요일 아침, 일곱시가 채 되지 않은 시간에 똑똑이가 전화를 걸어왔다.

"나 양성 나왔어. 너는 괜찮아?"

"뭐?"

"일요일엔 괜찮았는데 월요일부터 슬금슬금 아프더니 양성 나왔네."순간 머리가 아찔했다. 똑똑이도 똑똑이지만 주말을 지나고 월요일에 멀쩡히 출근까지 했기 때문이었다. 벌떡 일어나 키트를 꺼냈다. 이번에는 양성이었다. 두 줄이 그어진 키트를 보자 억울하면서도 이상하게 반가웠다. 나는 그 상황이 어이없어 헛웃음을 웃었다. 뭐냐고 이게…….

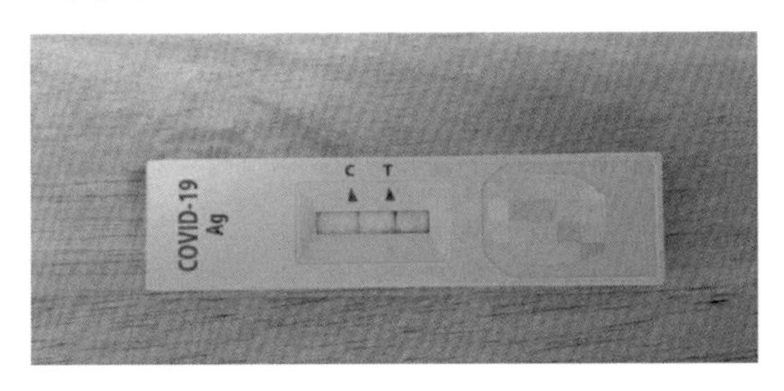

다행히 회사 동료들은 모두 음성이었고 나는 판피린으로 코로나를 거의 이겨낸 시점에서 병가 일주일을 받게 되었다. 감염병자가 된 기분은 영 별로였다. 병원에서도 약국에서도 나를 실내로 들어오지 못하게 했다. 머리부터 발끝까지 무장한 의사는 대기실에 앉아 있는 내게서 멀찍이 떨어진 채 주의 사항을 일러주었고 약국에서도 약사가 조제된 약 봉투를 문밖에 서 있는 내게 갖다주며 집으로 곧장 가셔야 한다고 신신당부했다. 그들의 말을 잘 듣기 위해 나도 모르게 몸을 앞으로 내밀었다가 아차 싶어 얼른 뒤로 물러서길 반복했다.

아침 댓바람부터 난리법석을 치고 집으로 돌아온 나는 똑똑이에게 전화를 걸어 사과했다. 이 민감한 시기에 증상이 있었음에도 불구하고 스스럼없이 함께 밥을 먹다니. 그러나 똑똑이는 나의 둔감함을 탓하는 대신 다음날 친히 차를 끌고 나를 데리러 왔다. 어차피 같은 날 확진이 됐으니 혼자 골방에 갇혀 있는 것보다 조금 더 넓은 자신의 집에서 병마를 물리치자는 제안이었다. 증상이 많이 호전된 나와 달리 똑똑이는 이제 막 아프기 시작한 참이었다. 내가 가서 간호하면 조금이나마 죄책감이 덜할 것 같아 그러기로 했다. 시름시름 앓으며 운전하는 똑똑이 옆에 앉아 나는 여러 번 사과 했다.

"소인 죽어 마땅하나이다."

"오냐."

사실 미안한 마음에 덥석 따라나서긴 했지만 친구와 그렇게 긴 시간 같이 지내본 적이 없는 나로서는 마음 한구석에 부담감이 도사리고 있었다. 아무리 똑똑이라도 혼자 사는 것에 익숙해져 있는 사람이 제 집에 손님을 일주일이나 들이는 건 보통 일이 아닐 것이었다. 매일 세 끼를 챙겨 먹는 것과 자는 것, 청소와 빨래도 두 배로 늘어날 테고 아무래도 집주인의 품이 많이 들어갈 수밖에 없었다. 그러다 보면 서로 마음 상할 일도 생기지 않을까 싶었다. 집에 도착할때쯤 나는 똑똑이에게 물었다.

"정말 괜찮겠어?"

"해보지 뭐."

괜찮다고 손사래 치는 것보다 솔직한 똑똑이의 대답에 오히려 조금 안심이 되었다. 그렇게 일주일간 우리의 뜬금없는 합숙이 시작되었다.

슬기로운 격리 생활 2

고마움 반, 미안함 반으로 똑똑이의 제안을 받아들이긴 했지만 막상 똑똑이의 집에 도착해서는 걱정이 앞섰다. 사실 그것은 나에 대한 걱정이었다. 잠자리에 예민한 나는 집이 아닌 곳에서 자는 게 힘들기 때문이었다. 기본적인 예민함도 있지만 어려서부터 엄하게 받아온 교육 때문이기도 했다. 엄마는 딸들이 바깥 잠자는 것을 허락하지 않으셨다. 초등학생 때였나, 한번은 엄마 몰래 친구 집에 숨어서 버티다가 잡혀 죽도록 혼난 적이 있었다. 이후로 나는 학교 수련회나 가까이 사는 이모 집에서 자는 것 외에는 집을 떠나서 자 본 기억이 거의 없었다. 재밌는 건 결혼을 한 후로는 이전까지 내가 살던 집임에도 친정에서 자는 일이 바깥 잠을 자는 것처럼 힘들어졌다는 것이다. 다행히 엄마는 그런 내게 별로 서운해하지 않았다. 오히려 "결혼한 여자가 남편을 혼자 둬서는 안 된다."며 남편과 함께가 아니면 친정에 오는 것도 썩 달가워하지 않았다. 엄마가 들으면 깜짝 놀랄 일이지만 솔직히 말하면 나는 누군가와 함께 자는 게 적응이 안 돼 신혼 때부터 남편이 잠들기를 기다려 몰래 거실에 나와 혼자 자곤 했다.

아이가 태어나고는 나를 닮았는지 잠덧이 심한 아이 옆에 밤새 붙어 있느라 깊은 잠을 자지 못했다. 남편은 남편대로 불만이 쌓이고 나는 나대로 피로가 쌓여 변명할 기운이 없던 시간이었다. 독립하고 나서 고요하고 아늑한 침대를 혼자 독차지하고 잠드는 것이 어찌나 행복하던지 한동안 퇴근하는 시간부터 설레곤 했다.

아무튼 여차 저차하여 잠자리에 무척 민감한 사람이 되어버린 내가 백팩에 꽉꽉 채워 온 옷가지와 노트북, 필기도구 같은 것들을 작은 방의 한쪽에 부려놓는 동안 똑똑이는 식사를 준비했다. 나보다 아픈 몸으로 뭘 하느냐고 말렸지만 오랜 독신의 내공을 뽐내듯 싱크대 선반에 이미 레토르트 죽이 종류별로 구비되어 있었다. 똑똑이는 들깨 버섯죽의 봉투를 조금 열어 전자렌지에 돌리고 열무김치와 장조림을 꺼내 능숙하게 접시에 담았다. 죽은 생각보다 든든하고 맛이 좋았다. 후식으로 골드키위까지 깎아 먹은 후 우리는 각자의 약을 먹고 낮잠을 자기로 했다. 둘이 함께 눕기엔 좁은 싱글 침대를 보며 내심 심란해지려던 찰나 똑똑이가 나를 침대로 밀어 넣고 바닥에 매트를 척척 깔더니 벌렁 누워버렸다.

"내가 바닥에서 잘게."

"그냥 거기서 자."

"그래도……."

"괜찮아."

"그럼 다음엔 내가 바닥에서 잘게."

그렇게 얼버무리고 못 이기는 척 침대에 누워 의외로 달고도 길게 잠을 자버렸다. 친정집에서도 밤새 뒤척이며 잠을 못 자던 내가 그렇게나 숙면을 취하다니. 뭐지 이 내 집 같은 편안함은?

한숨 푹 자고 저녁 무렵에 일어난 우리는 배달앱으로 참치회를 주문해서 조촐하고 성대한 만찬을 즐겼다. 똑똑이는 합숙 기간 동안 적어도 하루에 한 끼는 맛있고 좋은 음식을 먹자고 말했다. 그러기 위해서라도 둘이 함께 있어야 한다며 웃었다. 배달 음식을 매일 혼자 시켜 먹기에는 아무래도 양으로나 금액으로나 부담이 있으니 참으로 맞는 말이었

다. 똑똑한 똑똑이^^

첫날 저녁까지는 내가 침대에서 잤지만 다음날부터는 그러고 싶지 않았다. 그렇다고 번갈아 자는 것도 썩 효율적이지 않은 것이, 아침형 인간에 부지런히 움직이는 똑똑이에 비해 나는 느리고 게으른 데다 밤에 주로 집중하는 스타일이었으므로 두 사람이 한 공간에 있는 것 자체가 부조화였기 때문이다. 다행히 똑똑이의 집에는 방이 두 개였다. 나는 재빨리 작은 방을 차지하고 책상 옆에 매트를 깔았다.

"나는 여기서 작업하다가 자다가 할게. 신경 쓰지 말고 할 일 해."

똑똑이는 작은 방을 살펴보더니 매트 위에 도톰하고 가슬가슬한 침구를 얹어주고 그렇게 하자고 했다. 그제야 안심이 됐다. 나를 배려한다고 정반대인 생활패턴을 억지로 맞추려 애쓰지 않고 담백하고 쿨하게 한발 물러서 주는 게 좋았다. 우리는 각자의 영역에서 작업을 하다 식사 시간이 되면 마주 앉아 밥을 먹고 약을 먹었으며 이따금 차를 마시러 주방에 나오면 서로에게 슬쩍 간식을 챙겨다 주기도 했다. 저녁에는 꽤 진지하게 메뉴를 의논해 영양가 있고 맛있는 음식을 골라 배달시켰다. 다행히 똑똑이가 상비약처럼 냉장고에 채워둔 술이 있어서 간단하게 소주나 맥주를 곁들이기도 했다. 그러다 노곤해지면 컴퓨터로 영화를 보았다. 각자의 OTT를 공유하니 볼 수 있는 영화의 폭도 두 배가 되어 골라보는 재미가 있었다. 어둑한 방 안에서 나란히 앉아 영화를 보다 베란다 창으로 고개를 돌리면 멀리서 오렌지색으로 빛나는 가로등 불빛과 아파트 단지 안에 심어놓은 키 큰 나무의 싱싱한 잎들이 눈에 들어왔다. 상가와 오피스텔이 조밀하게 맞닿아 있는 내 집에서는 볼 수 없는 광경이었다. 그 평범한 풍경이 새삼스러워 나는 똑똑이의 집에 있는 동안 자주 창밖을 내다봤다.

뜻밖의 코로나 확진으로 일주일의 시간을 번 덕에 나는 쾌적한 환경에서 먹고 자며 합평 받을 단편소설의 초고를 무사히 완성했다. 퇴근 후 피곤한 몸을 억지로 추스르며 새벽까지 글을 쓰던 때보다 한층 만족스러운 결과물이었다. 합평을 받은 후에 또다시 여러 번 고치고 다듬어야 하겠지만 어쩐지 푹 쉬고 나니 뭐든 더 잘할 수 있을 것 같은 자신감이 생겼다. 걱정했던 것과 달리 똑똑이와 함께한 격리생활은 무척 안정적이고 편안했다. 모두 슬기로운 똑똑이 덕분이었다.

내가 막 이혼했을 무렵, 소식을 들은 동료 하나가 걱정스러운 표정으로 말 한 적이 있다. 나보다 나이가 있는 그는

"지금이야 젊고 건강하니까 그렇지. 몇 년만 지나 봐. 당장 아프면 혼자서 어떡할 거야."라고 매우 확신에 찬 조언을 했다. 마치 반드시 내게 일어날 일인 것처럼. 그때가 되어 뒤늦게 후회하는 내가 눈에 훤히 보인다는 듯한 말투였다. 물론 한 귀로 듣고 한 귀로 흘리긴 했지만 뉴스에서 고독사한 청년이나 갑작스런 사고로 홀로 죽음을 맞이한 독거노인의 소식을 접할 때면 흠칫하곤 했다. 만약 집 안에서 손 쓸 틈 없이 아프게 된다면 어떻게 해야 할지 대응 상황을 머릿속으로 그려보기도 했다.

그러나 그런 고민들은 이제 하지 않기로 했다. 나의 비상 상황을 대비해 보험처럼 배우자를 부여잡고 있어야 하는 것이라면 안 하는 것이 좋겠다는 결론을 내렸기 때문이다. 그렇다고 회사의 동료를 비난하려는 건 아니다. 그에게는 현실적인 이유 외에도 배우자에 대한 사랑이 분명 함께일 테니까. 단지 나의 경우 독립을 택했고 그것이 동료가 말한 것과 같은 이유로 포기되어야 할 성질의 것이 아니라는 확신이 생겼을 뿐이다. 그리고 나에게는 슬기로운 선배이자 친구인 똑똑이가 있다. 우리는 각자의 공간에서 각자의 삶을 살지만 서로의 비상 상황을 늘 염두에 두고 때때로 힘을 합쳐 잘 헤쳐 나갈 것이다.

다시 만나 기뻐 (ft. 오늘 내 기분 송강호)

한창 수시 전형 중인 딸과 만날 일이 많아졌다. 아무래도 챙길 게 많은 시기라 엄마 손이 필요한 모양이었다. 근처에서 보컬 레슨이 있는 날엔 내게 들러 성능 좋은 프린터로 수험표를 출력하고 함께 저녁을 먹거나 입시 의상을 사러 돌아다녔다. 며칠 전 오전에는 막 예대 시험을 마쳤다고 전화가 와서 점심을 사주었다. 한 시까지 출근해야 해서 시간이 빠듯했지만 그 와중에 파스타에 논알콜 와인까지 한 잔 마시며 기분을 냈다. 한집에 살았다면 그러지 않아도 되었을 텐데 원하는 학교에 입학하기 위해 벌써 삼 수째인 딸이 볼 때마다 안쓰럽고 마음이 쓰였다.

한편으로는 나 역시 입시라면 입시인 신춘문예를 몇 년

째 준비하는 입장이니 딸과 만나 서로의 어려움을 수다로 나누며 기운을 얻기도 한다. 딸은 이십 대가 되고 나서 하루가 다르게 의젓한 모습으로 변해가는 것 같다. 특히 자기의 꿈과 앞으로 그것을 어떻게 실현해 갈지 계획을 말할 때는 나보다 한두 살 많은 언니 같기도 하다. 그래도 엄마라고 이런저런 조언을 해줄라치면 이미 한발 더 나아가 있는 모습을 발견하고 놀라기도 한다. 나로선 여태 겪어보지 못한 굉장히 신선한 순간이다. 자매들과 투닥거리며 함께 성장할 때조차 느껴보지 못한 공감과 애정 같은 것이 마음을 꽉 채우는 기분이다.

우리는 이제 옷도 나누어 입는다. 엊그제는 딸이 와서 내가 얼마간 입다 질린 옷을 털어갔다. 그리고 어제는 내가 딸의 집에 출동했다. 마침 m은 친구들과 캠핑을 가고 없었다. 가을이라 여기저기 다니기 좋은 계절이다. 집에는 두 사람이 키우는 고양이 메이를 살피기 위해 설치한 CCTV가 있다. 나는 카메라에 대고 손을 흔들며 혹시 보고 있을지 모를 m에게 인사했다. 그리고 오랜만에 만난 메이에게 손을 내어주고 냄새를 맡도록 했다. 메이는 코로 손등을 탐색한 후 작은 혀로 나를 몇 번 핥고는 무심히 테이블 밑으로 들어갔다.

우리는 매콤한 야식을 먹기로 했다. 딸은 원래 밥은 집주인이 쏘는 거라며 순대볶음을 주문했다. 대신 내가 편의점에서 맥주와 딸이 좋아하는 초코 묻은 과자를 사 왔다. 딸은 초콜릿을 무척 좋아한다. 나도 스무 살 무렵에는 손바닥보다 큰 판초콜릿을 매일 하나씩 먹었다. 지금은 양을 줄였지만 피곤할 때 가장 먼저 생각나는 게 초콜릿인 건 여전하다. 우리는 그런 식으로 사소하게 닮은 점이 참 많다. 만나면 할 말이 많은 건 아마 공통점이 많기 때문인지 모르겠다. 테이블에 순대볶음과 편의점에서 사온 술, 초콜릿 과자를 늘어놓고 무한도전을 배경으로 틀어둔 채 먹으며 웃으며 수다 삼매경에 빠졌다. 중간중간 메이가 테이블로 훌쩍 뛰어 올라와 화분의 스투키를 냠냠 씹다가 내려가곤 했다. 딸은 생일 선물로 받은 핸드크림과 틴트 중 안 쓰는 걸 꺼내왔다. 선물로 받은 거라 가격대가 제법 있는 것들이었는데 향이 강하거나 색이 안 맞아 못 쓰고 있다고 했다. 마침 나한테는 아주 잘 맞는 것들이라 가지기로 했다. 그러는 동안 서로 "아 너무 좋다."를 연발했다. 정말로 너무 좋았다.

신나게 하룻밤을 보내고 오후에 소설 수업을 들으러 가기 위해 일찍 집으로 출발했다. 나의 애마 에브리바이크에 올라 한산한 토요일 아침의 상쾌한 공기를 마시며 달렸다.

평소 다니던 것보다 조금 먼 거리라 도착할 무렵엔 제법 근육이 당기고 땀이 났다. 뿌듯한 기분으로 집에 들어섰을 때였다. 딸에게 받은 핸드크림 하나가 안 보였다. 분명 작은 쇼핑백에 담아 자전거 바스켓에 넣고 왔는데……. 현관문에 서서 핸드크림을 어디에 떨궜을까 기억을 더듬었다. 아! 횡단보도를 지나다 안전봉이 유난히 촘촘하던 곳에 부딪쳤던 게 생각났다. 안전봉과 앞바퀴가 충돌할 때 튀어 나간 것 같았다. 이미 40여 분 넘게 달려 도착했는데 그걸 찾으려면 왔던 길의 2/3를 되짚어가야 했다. 그러나 한숨을 푹 쉬면서도 나는 고민 없이 다시 자전거에 올랐다. 길가에 떨어져 있는 핸드크림을 그냥 두는 게 왠지 딸아이를 내버려 두고 오는 것 같다는 생각 때문이었다. 아마 딸에게 이야기했다면 "뭘 찾으러 가. 그냥 두지." 했을 것이다. 그런데도 꾸역꾸역 핸드크림이 떨어져 있을 거로 짐작되는 곳까지 자전거를 몰았다. 이른 시간이고 워낙 작은 물건이라 누가 집어 가진 않았을 테니 잘 살펴보면 분명히 그 자리에 있을 것이었다. 마음이 조급해 빠르게 페달을 밟았다.

다행히 나의 짐작이 맞았다. 자전거와 충돌했던 안전봉 바로 옆, 풀이 파릇하게 자란 곳에 그새 이슬을 맞은 핸드크림이 있었다. 그걸 발견한 순간 어찌나 기분이 좋던지 나는 딸에게 말하듯 작게 외쳤다.

"다시 만나서 다행이야, 너무 기뻐!"

겨우 잃어버렸던 작은 핸드크림 하나 찾았을 뿐인데. 사실 따져보면 이른 아침부터 안전봉에 부딪히고, 물건을 잃어버려 왔던 길을 되돌아오는 불운을 겪었음에도 모든 걸 까맣게 잊고 그 순간의 기쁨에 흠뻑 빠져버렸다.

집으로 돌아오는 길에는 흥겨움을 주체할 수 없어 노래를 흥얼거렸다. 뜬금없이 언젠가 들었던 조용필의 '단발머리'가 떠올라 연신 고개를 까닥거리며 노래를 불렀다. 기분이 좋아지니 안 보이던 풍경도 눈에 들어왔다. 이제 막 가을옷을 입은 나무들과 낮게 떠오르기 시작한 아침 햇빛이 잘 어울렸다. 중간에 자전거를 세우고 핸드폰으로 아침 풍경을 여러 장 찍었다. 집에 도착해서 샤워하고 얼음 채운 아이스 커피를 마시며 오는 내내 흥얼거렸던 조용필의 '단발머리'를 검색했다. 전주 부분이 오락실 효과음처럼 뿅뿅

하며 시작하는 버전이었는데 찾고 보니 영화의 오프닝 OST였다. 주인공인 송강호가 연두색 택시 안에서 '단발머리'를 흥얼거리며 운전하는 모습이 어쩜 좀 전의 내 모습과 똑같았다. 고개를 쭉 빼고 노래하는 표정까지. 내가 내 얼굴을 보진 못했지만 아마 지나가는 사람이 보았다면 딱, 그랬을 것만 같은 표정이었다. 그러자 더 기분이 좋아졌다.

나는 송강호와 듀엣으로 '단발머리'를 흥얼거리며 잃어버린 줄 알았던 것을 찾는 것이 얼마나 기쁜 일인지에 대해 생각했다. 아쉽긴 하지만 찾으러 가지 않았다면 다시는 내 손에 들어올 수 없었던 것, 영영 포기해야만 했을 것, 어쩌면 가끔 안타깝게 떠올려야 했을 것을 가지고 있다는 것에 대해서 말이다. 그리고 잃어버린 줄 알았던 것을 찾기로 결심하고 기어코 찾아낸 나 자신을 칭찬했다. 이렇게 사소한 것에 기뻐하는 나의 단순함도 더불어 칭찬. 그러다 보니 적어도 오늘 하루만큼은 또다시 뭘 잃어버려도 다시 찾을 수 있을 것만 같았고, 어려운 일이 일어나도 다 해결해 낼 수 있을 것 같은 기분이 들었다. 이른 아침의 사소한 불운은 이렇게 해피엔드로 끝났다. 아니, 아직 오전이니까 아직도 해피엔드를 향해 진행 중이다. 그리하여 오늘 내 기분은 끝내주게 송강호이다.^^

고난의 종류

서울랜드에 월드컵이라는 놀이기구가 있다. 빙글빙글 돌아가는 원판 위에 또 제각기 회전하는 좌석들이 놓인 기구인데 꽤 격렬하게 움직인다. 내가 아는 것은 거기까지였으므로 딸아이가 "엄마, 저거 타 볼까?" 하고 물었을 때 주저없이 "그래." 하고 대답했다. 나는 씩씩하게 먼저 좌석에 앉아 딸의 안전바를 내려주었다. 안전요원이 한 바퀴 돌며 좌석을 확인하고 원판이 슬슬 회전 속도를 높이기 시작했을 때였다. 문득 뭔가 잘못되었다는 걸 알아채고 경악하고 말았다. 그저 좀 빠르게 회전하는 기구라고 생각했는데 난데없이 원판에 급경사가 생기는 것이 아닌가.

"어어, 이거 아닌데. 이거 아니야! 으아악!!!"

알고 보니 월드컵은 마치 축구공처럼 좌석이 빠르게 회전하는 동시에 원판까지 회전하며 일어서는 기구였던 것이다. 실제론 아니었겠지만 체감상으로는 거의 구십 도에 육박하는 기울기에 대롱대롱 매달려 바닥으로 곤두박질치는 기분이었다. 나는 도리질을 하며 연신 소리를 지르고 옆자리에 앉은 딸은 그런 나 때문에 깔깔대느라 정신이 없었다.

마침내 탑승을 마치고 내려온 후 다리에 힘이 풀려 달달 떠는 나를 보고 딸이 놀라서 물었다.

"엄마, 정말이야? 정말 무서워서 그런 거야?"

"엉. 나 사실 엄청 쫄보야. 여태 롤러코스터도 한번 못 타봤어."

그건 사실이었다. 사실 난 어린이용 놀이기구에서도 엄청난 화력으로 샤우팅을 하는 어른이다. 너무 어릴 적 일이라 딸은 엄마의 그런 모습을 기억하지 못하는 모양이었다.

딸과 짧은 여행을 계획한 첫날, 우리는 인사동에 짐을 풀었다. 인사동은 딸과 내가 단둘의 여행을 시작했던 최초의 장소였다. 그로부터 벌써 10년이 지났다. 그동안 거리의 풍경은 많이 변해 있었다. 우리는 변한 곳과 여전한 곳을 찾아낼 때마다 누가 먼저랄 것도 없이 서로의 팔을 두드리며 호들갑을 떨었다. 저녁을 먹고 나서는 해설사와 함께 창경

궁 야행을 했다. 어둠에 잠긴 고궁을 천천히 돌며 각 건물들이 품은 옛이야기를 듣는 것은 무척 이상한 기분이었다. 놀랍고 흥미롭고 조금 쓸쓸하면서 감격스럽기도 했다. 딸은 아마 밤이라서 그런 것 같다고 말했다. 그래서 다음날 아침 일찍이 창경궁을 다시 찾아 보송한 햇빛에 마음을 말리고 신나게 서울랜드로 향했던 것이다.

서울랜드도 속속들이 추억이 쌓인 곳이어서 할 말이 끊이지 않았다. 루돌프 열차였던 놀이기구는 시대의 흐름에 맞춰 또봇열차로 탈바꿈했다. 간혹 노후되어 이제는 운행이 정지된 기구도 있었다. 우리는 설레는 마음으로 어떤 놀이기구를 탈까 고심했는데 내 눈에 들어온 것은 주로 딸아이가 어렸을 적 함께 탔던 기구들 뿐이었다. 딱 그 정도가 내게 맞는 수준이었지만 다 큰 어른 둘이서 어린이용 기구에 타는 것은 민망해서 새로운 시도를 해보기로 했다. 그중 가장 만만해 보였던 게 월드컵이었다. 기억에는 분명 세게 돌기만 했던 기구라 딸이 "나는 저게 좀 무섭더라고." 하고 말했을 때 비웃기까지 했는데 도대체 이게 어찌 된 일일까. 공중에 매달려 정신없이 돌면서 그제야 기억의 오류를 바로잡을 수 있었다. 나는 비슷하게 생긴 다른 놀이기구를 월드컵이라고 확신했던 거였다. 3분여간 미친 듯이 휘둘리고 땅에 내려와서는 어찌나 억울하던지…….

딸은 나를 벤치에 앉히고 손을 꼬옥 잡아주었다. 나는 딸에게 기대서 아이처럼 한참이나 칭얼대다 중얼거렸다.

"이러니까 꼭 니가 내 엄마 같다."

딸이 킥킥 웃었다.

"왜, 좀 변태 같아?" 딸은 여전히 웃으며 말을 고르다 대답했다.

"기분이 좀 그래. 뭐랄까 좀 무거워진 느낌."

"무거워? 부담스러워서?"

"아니, 그런 건 아니고. 몸의 밀도가 높아졌다고 해야 하나. 암튼 좋은 거야."

"와, 우리 애기가 그런 말도 할 줄 알고 다 컸네."

그렇게 너스레를 떨며 한바탕 웃었지만 나 역시 묵직한 무언가가 마음에 들어차는 기분이 들었다. 가볍고도 무거워지는 그런 기분이었다.

살다 보면 그런 때가 있다. 생각지도 못한 고난에 덥석 뛰어드는 그런 때. 마치 겁도 없이 월드컵에 올라탔다가 "이거 아니야!" 하고 소리 지르게 되는 것 같은 순간 말이다. 하지만 이미 몸은 공중에 떠 있고 고난이 끝날 때까지는 꼼짝없이 견뎌내야만 한다. 내게는 그 고난이 결혼이었다. 늦둥이 아들이 있는 딸부잣집에서는 어서어서 출가하는 게 엄마의 부담을 덜어주는 것이었고, 젊고 심드렁하고 겁 없던 나는 고작 결혼으로 내 인생이 뒤바뀔 거라는 생각을 하지 못했다. 지금 생각하면 기가 찰 노릇이다. 그런 고난은 너무 뜻밖이라 내내 억울하지만 그렇다고 누굴 탓할 수도 없다.

반면 각오하고 맞이한 고난이 뜻밖에 수월한 경우도 있다. 월드컵을 타고나서 나는 딸의 응원에 힘입어 난생처음 롤러코스터에 도전했다. 남들이 타는 것만 봐도 오금이 저려 엄두도 못냈던 것을 이번이 아니면 영영 못 타 볼 것 같다는 생각에 에라 모르겠다 저질러 버린 것이다. 딸은 내가 걱정됐는지 “엄마, 안 보면 돼. 그냥 눈 꽉 감고 있어.” 라고 말하며 내 손을 꽉 잡았다. 나는 결연하게 눈을 감고 이를 악물었다. 그러자 정말 신기하게도 눈 깜짝할 새 모든 게 끝나 버렸다. “이제 다 끝났어, 눈 떠봐 엄마.”하고 딸이 말했지만 믿을 수가 없었다. “공중회전 두 번 남았잖아. 나 무서워.” “벌써 다 돌았는데.” “정말?” 그렇게 말하고 보니 열차는 이미 출발선에 되돌아 와 있었다. 세상에나 평생 무서워 근처에도 못 가 봤던 롤러코스터를 이렇게 뿌셔 버리다니 야호! 나는 탄성을 질렀다.

충격에 휘청하면서도 기분이 좋아진 김에 딸과 급류타기 쪽으로 갔다. 급류타기는 몇 번 타 보았지만 역시나 무서운 놀이기구 중 하나였다. 이번엔 내가 제안했다.

"탈까?"

"좋아!"

그러나 역시 쫄보였던 나는 배에 올라타면서부터 떨기 시작했다. 특히 떨어지기 위해 경사로를 천천히 오르는 순간 당장이라도 뛰어내려 도망치고 싶었다. 그런 나를 꾸짖듯 경사로 중간에 '뛰어내리거나 자리를 옮기지 마시오'라는 경고판이 떡 하니 붙어 있었다. 배는 이내 굉음과 물보라를 일으키며 추락했다. 다시 생각해도 아찔한 순간이었다. 출구로 나오니 떨어지는 순간 찍힌 사진이 화면에 떠 있었다. 입을 쩍 벌리고 소리 지르는 모습이 아주 못생기게 환호하는 모습처럼 보였다. 긴장이 풀린 나는 딸과 박장대소하며 스스로를 비웃다가 결국 그 사진을 사기로 했다. 그리고 다음번에 꼭 다시 와서 더욱 못생긴 사진으로 갱신하자고 약속했다. 그건 자신 있었다. 아마 다음에도 나는 똑같이 무서울 것이므로.

고난은 말 그대로 쓰고 어려운 일이다. 그런데도 왠지 매력이 있다. 돌이켜보면 고난의 한가운데서 울고 좌절하는 동안에도 순간순간 나는 웃고 뿌듯해하고 단단해지곤 했다. 특히 결혼이라는 고난에서는 둘도 없는 찐친을 얻었고 아직은 조금 어색하지만 남편에서 친구로 바뀌고 있는 사람도 있다. 생각지도 못한 특별 보너스 같다. 내게 급류타기는 몇 번을 되풀이해도 익숙해지지 않는 종류의 고난처럼 느껴진다. 예를 들면 그런 것. 밤새워 소설을 써서 공모전에 내고 떨어지면 하루를 꼬박 마음 앓이 하면서도 다음 날이면 또 도전하고 싶은 것 말이다. 아직도 고난은 남아 있고 나는 그럴 때마다 여지없이 힘들어하겠지만 그게 롤러코스터든 월드컵이든 급류타기든 그 무엇이든 이제는 기꺼이 맞이해 볼 생각이다.

때가 되어 들여다보게 된

독립한 지 1년 반이 되었다. 작은 공간에 가구와 짐을 들이고, 때때로 그것들의 위치를 나의 움직임에 맞게 조정해 가며 꼭 알맞은 자리에 안착시켰다. 원래 식탁으로 사용하려던 간이 테이블은 침대 옆에 붙여 읽을 책을 수북하게 쌓아두었고, 책상과 책장 사이 틈에 좁은 책장을 하나 더 들였다. 의자에 앉아 있는 동안 허리를 받쳐주는 커브는 별 쓸모가 없어 버리려다 발 아래 엎어두고 발받침으로 사용하니 안성맞춤이었다. 침대에서도 책을 읽다 보면 전등이 눈부시게 느껴지는데 이제는 어떤 방향과 각도로 자세를 잡으면 눈이 편안한지도 알게 되었다. 별거 아닌 것 같지만 나는 그렇게 1년간 나의 집과 그 안의 사물들과 호흡을 맞추는 일을 끊임없이 시도했다. 이제는 한밤중에 불을 켜지 않고 눈마저 반쯤 감은 채 냉장고 문을 열어 물을 찾아 마시고 화장실도 다녀오는 경지에 이르렀다. 그야말로 손발이 척척 맞는 환상의 하모니랄까.

그런데 어제 아침 식사를 준비하다 정강이를 다쳤다. 지퍼백을 꺼내느라 열어둔 주방 서랍을 그대로 둔 채 급하게 움직이다 세게 부딪친 것이다. 나는 그대로 주저앉아 상처가 발갛게 변해가는 것을 바라보았다. 무척 아팠고 서랍에게 약간의 배신감을 느꼈다. 때로 완벽하다고 느낀 관계에도 이처럼 뜻밖의 균열이 생기곤 한다. 사실 완벽한 관계 자체가 존재하는 가는 의문이지만 말이다. 어쩌면 그건 관계를 이루는 상대를 밀쳐놓고 혼자서 만든 환상일지 모른다. 그렇다 할 지라도 불현듯 균열을 발견하는 순간이 생기면 어김없이 배신감에 몸을 떨게 된다. 균열은 그냥 두면 점점 커져 구멍이 된다.

나에게도 구멍이 있다. 언제부터인지 모르겠지만 결혼 생활을 하는 동안에는 깊고 커다랬으며 그보다 전인 어린 시절에도 분명 자잘하고 야트막한 구멍들을 가지고 있었다. 결혼으로 인한 구멍은 이혼과 그 이후의 과정들을 거치며 차츰 메워져 가는 중이지만 의외로 어린 시절의 구멍은 쉽게 메워지지 않는 것 같다. 따지고 보면 사소하고 작은 사건들로 기억에 남아 있는 그것들은 왜 아직도 내게 영향을 미치는 걸까. 가끔 잠자리에 누워 그런 생각을 하다 보면 서러워져 눈물이 나기도 한다. 하지만 별수 없다. 그렇게 훌쩍이다 잠드는 수밖에. 얼마 전 나도 가족들에게 커다란 구멍 하나를 만들어 줬으니 투정 부릴 입장은 아니다. 어쩌면 지금 이 순간, 잠에서 문득 깨어나 나를 떠올린 가족 중 하나도 침대 모서리에 앉아 훌쩍거리고 있을지 모를 일이다.

요즈음 나는 가족의 눈물을 종종 목격한다. 그중에서도 특히 아빠. 평소에도 슬픈 드라마나 영화를 보다 슬쩍 눈물을 훔치곤 하던 분이었지만, 그러다 엄마의 놀림을 무지하게 받던 분이었지만 그런 것과는 결이 다른 눈물이다. 아빠는 가끔 가족이 함께 모이는 날 술을 한잔하시곤 어린 시절 고생한 이야기를 한다. 부모님 대신 여섯이나 되는 동생들 뒷바라지를 위해 일찌감치 생활 전선에 나선 아빠가 어깨에 짐을 지고 어둑한 산길을 걸어오며 무서워 떨었던 이야기, 하루 종일 굶은 아빠를 얼굴도 모르는 할머니가 대문 안으로 불러들여 정성스럽게 밥 한 상 차려 주며 많이 먹어라, 하던 이야기를 하다 아이처럼 울먹인다. 상에 둘러앉아 그 이야기를 듣던 딸들도 함께 눈물을 흘린다.

아빠 다음으로는 내가 자주 울게 되었다. 그동안은 악바리처럼 속에 눌러 놓았던 이야기들이 나도 모르는 새 불쑥불쑥 튀어나오기 때문이다. 가끔은 가족에 대한 원망이 되기도 하고 미안함이 되기도 하는 이야기를 하면 함께 우는 것은 엄마와 아빠다. 사실 터프한 여동생은 나를 비웃는다. 그러면 나는 휴지 조각을 뜯어 아빠와 마주 앉아 훌쩍이며 눈물을 찍어내다 머쓱하게 웃어버리기도 한다. 청승맞으면서도 한편으론 따뜻하고, 개운한 기분이 드는 순간이다. 창피하긴 하지만 어느 때부턴가 그런 순간이 좋아졌다. 그것만으로는 우리들 사이에 패인 구멍을 메울 수 없을 것 같지만 함께 눈물을 흘리며 구멍 안을 들여다보고 나면 우리는 서로가 가진 흉터를 비밀리에 공유한 사람들처럼 동지애를 가지게 된다. 이전에는 그러지 못했던 것을 이제는 때가 되었기에 함께 하는 중이다. 그저 때가 되었기 때문에.

현실은 빨래방이지만

섬유유연제 향이 풀풀 나는 젖은 이불 커버를 커다란 비닐백에 담아 1층 빨래방으로 내려갔다. 자동문이 열리자 깨끗하고 뽀송한 공기와 윙윙 기계 돌아가는 소리가 쏟아졌다. 마치 거대한 세탁기 속에 발을 디딘 기분이었다. 나는 곧장 건조기 쪽으로 걸어가 통 안에 이불 커버를 잘 펼쳐 넣었다.

작은 집에 사는 사람에게는 빨래가 큰 일거리다. 활짝 열어 봐야 한 쪽짜리인 창 옆의 미니 건조대는 널 수 있는 빨래의 크기와 양이 무척 제한적이기 때문이다. 처음엔 멋모르고 수건을 촘촘히 널었다가 쉰내가 나서 죄다 도로 빨았다. 그러기를 몇 번 하다 보니 한 번에 널 수 있는 빨래의 적정량을 알게 되었고 최대한 효율적으로 세탁물을 배치하는 방법도 터득하게 되었다. 그러나 내 키를 훌쩍 넘는 이불 커버 같은 침구는 실내에서 말릴 방법이 없어 빨래방을 이용하기로 했다. 이 역시 처음에는 세탁부터 건조까지 만 원 가까이 결제해 가며 빨았지만 차츰 요령이 생겼다. 세탁과 탈수는 집에서 하고 빨래방에서는 건조만 하는 것이다. 아마 많은 사람들이 알고 있었겠지만 이 방법을 생각해냈을 때 나는 정말 뿌듯했다. 얼마 안 되는 **돈이라도 매번 결제할 생각을 하니 배가 좀 아팠던 것이다.**

건조를 기다리며 집에서 세탁기를 돌리는 동안 읽기 시작한 장류진 작가의 〈달까지 가자〉를 펼쳤다. 마침 나처럼 적은 돈에 연연하던 이들의 허황된 성공 이야기였다. 그런데 한참 흥미진진하게 읽다 한 대목에서 턱 막혔다.

"모르겠어. 마음 한구석에선 계속 그런 생각이 들어. 고기도 먹어본 놈이나 많이 먹는다는 말이 맞나 봐. 내가 이런 것들을 즐길 자격이 있나 싶은 거 있지."

"알아. 그 마음."

"우리 같은 애들은 어쩔 수가 없어."

우리, 같은, 애들. 난 은상 언니가 '우리 같은 애들'이라는 세 어절을 말할 때, 이상하게 마음이 쓰리면서도 좋았다. 내 몸에 멍든 곳을 괜히 한번 꾹 눌러볼 때랑 비슷한 마음이었다. 아리지만 묘하게 시원한 마음.

소설 속 인물인 은상이 말한 '우리 같은 애들'의 범주에 나도 들었던 모양이다. 그 부분을 읽을 때 나 역시 쓰리면서도 좋았다. 좋다기보다는 후련함에 더 가까운 그 마음은 원래 바닥에 가까운 나의 현실을 새삼 환기시키며 '그래 어차피 나는 이만큼인걸. 성공하는 사람은 따로 있는 거니까 안돼도 실망할 건 없어.'하는 패배감 섞인 묘한 안정의 상태로 나를 이끌었다.

소설습작을 시작하자마자 작은 상을 받은 뒤로 나는 근 2년간 '읽고, 쓰고, 고치고, 투고하고, 좌절하고'를 반복해 왔다. 골방에 갇혀 그것을 되풀이하다 본격적으로 독립을 하면서는 이상하게 '좌절하고'가 가장 높은 비중을 차지하게 되었다. 이것저것 신경 쓰지 않고 나에게만 집중할 수 있는 환경이 되었는데 오히려 머리는 복잡하고 부담감이 늘어만 가는 것이다. 며칠 전에도 한 공모전에 소설을 보내놓고 우체국을 돌아 나오자마자 급격히 우울감이 몰려왔다. 분명 합평할 때까지만 해도 나름 호평을 받으며 자신감에 들떠 있었는데 말이다. 하도 실패를 거듭하다 보니 '그래봐야 우물 안 개구리지. 되겠어?'하는 마음이 습관처럼 따라붙는 모양이었다. 순서상 '투고하고' 다음은 '좌절하고'니까 이제는 아예 미리 좌절하는 부지런함을 가지게 됐는지도 몰랐다. 우리 같은 애들, 실패가 더 익숙한 애들, 실패한다고 생각해야 안심이 되고 혹시나 조금이라도 성공할라치면 불안한 애들이 바로 나인 것이다.

오래전, 내가 초등학생일 무렵 아빠는 매주 내게 심부름을 시켰다. 바로 주택복권을 바꿔오는 일 이었다. 동네 작은 담배가게에 매표소처럼 반달 모양 구멍을 낸 아크릴판 안으로 복권을 밀어 넣으면 가끔 오백 원, 천 원, 오천 원짜리가 되돌아 나왔다. 나는 그중 오백 원을 빼고 나머지를 새로운 복권으로 바꿨다. 당첨금이 없는 날에는 아빠가 준 돈으로 복권을 사기도 했다. 나는 그 심부름이 좋았다. 용돈 이외에 공돈 오백 원이 생기는 일이었기 때문이다. 세

딸 중 유난히 나를 예뻐했던 아빠는 둘째가 다녀와야 운이 좋다며 꼭 나에게만 심부름을 시켰다. 복권 서너 장을 팔랑거리며 담배 가게로 뛰어갈 때 마음속에 무언가 살짝 부풀어 오르는 것 같은 상쾌한 느낌이 아직도 생생하다. 매주 주택복권을 사던 아빠는 결국 복권이 아닌 근면 성실로 작은 건물의 건물주가 되었다. 덕분에 누구에게 아쉬운 소리 할 것 없이 엄마와 이리저리 마실 다니며 간간이 자식들과 자식들의 자식들을 돌봐 준다.

이제는 딱히 일확천금이 필요하지 않은데도 아빠는 여전히 복권을 산다. 요즘은 주택복권이 아니라 로또다. 가끔 자식들이 모여 있을 때면 아빠는 로또 용지를 펼쳐놓고 "자~보자. 요것만 되면 우리 딸들 뭘 사줄까." 한다. "아빠, 나는 근사한 외제 차 하나 사줘." "나는 돈으로 주세요. 일 때려치우고 몇 년 놀게." 과년한 딸들이 아우성치는 동안 멀찍이 떨어져 있던 엄마가 슬그머니 다가와선 "반은 내꺼다." 하고 못을 박는다. 귀여운 우리 아빠는 콧구멍까지 벌름대며 진지하게 숫자를 맞춘다. 대개는 예전과 다름없이 당첨금이 미미하다.

"허구헌날 안 될 걸 뭐하러 해." 김빠진 소리로 엄마가 투덜댈 때면 아빠가 하는 말이 있다.

"아빠, 그래도 얼마나 재밌냐. 될지 안 될지 모르니까. 그래서 해보는 거지."

별 뜻 없이 넘겨왔던 그 말이 이제 와 뜬금없이 떠올랐다. 성공보다는 실패에 미리 무게를 싣는 나와 달리 아빠는 실패가 아무리 거듭되어도 쌓아두지 않았다. 미래를 성공이나 실패가 아닌 그냥 모르는 것으로 두었던 것이다. 그편이 훨씬 재미있고 기대할 만 하니까. 알고 보면 우리 같은 애들에게도 실패가 당연한 건 아닐지 모른다. 나도 이제는 그래 볼까 한다. 독립까지 했으니 반드시 뭔가를 이뤄야 한다는 거창한 목표에 질식되지 말고. 빨래방에 앉아서 이불 커버를 말리는 이 순간 이후는 모두 모르는 것으로 두기로 하자. 그렇게 다짐하고 나니 축축하게 젖어 있던 마음이 보송해지는 것 같다.

삶을 사랑하기 위하여

추석 명절을 앞두고 며칠간 밤이면 카톡방이 열렸다. 평소에는 주로 부모님이 산책하는 모습이나 옥상 텃밭의 열매들, 심심한 점심상의 사진을 찍어 올리고 3녀 1남의 자녀들이 한두 마디 화답하는 용도로 쓰이는 곳이다.

"와따, 호박 열린 거 보소. 자식 농사 뺨치네용."

"억! 눈부셔. 저 꽃밭의 미녀는 누구지?"

"역시 우리 아빠 비빔밥이 최곤데. 힝 배고푸다."

셋이나 되는 딸들은 나이를 먹을수록 넉살이 늘어 저마

다 찰진 멘트로 반응을 하곤 한다. 그중에서도 나는 무척 열렬히 답을 하는 편이다. 부모님과 함께 사는 늦둥이 남동생을 제외하면 가장 근거리에 살지만 심리적 거리로는 제일 먼 딸이기 때문이다. 만남은 고사하고 전화 통화조차 어려운 둘째 딸을 엄마는 이제 거의 포기한 듯하다. 나는 원체 전화 통화를 싫어하기도 하지만 부모님의 전화는 유독 회피하는 편이다. 지금은 말고, 이따가, 좀 쉬고 다시 걸어야지, 하다가 대부분은 그냥 까먹어 버리고 아주 가끔 에너지가 충만할 때 마음먹고 전화를 한다. 그러고 나면 큰일을 끝낸 것처럼 한숨 돌린다. 고작 전화 한 통이 뭐라고 죄책감을 느끼면서도 평생을 그러고 사는 중이다. 그러니 카톡으로라도 효도하는 수밖에.

명절은 그렇게 차곡차곡 쌓아둔 죄책감을 해소하는 시간이다. 연휴를 통째로 가족과 보낼 수 있게 된 내가 단톡방에 적극적으로 아이디어를 제시했다. 이번 추석 테마는 '추억은 방울방울'이다. 어렸을 때처럼 부모님과 함께 메뉴를 짜고 장을 봐 와 음식을 장만하는 전 과정을 함께 하기로 했다. 그 중 하루는 도시락을 싸서 소풍도 가기로 했다. 오랜만에 단톡방이 활기를 띠자 모두 조금씩 들떠 각종 이모티콘을 남발했다. 그러다 보니 나 역시 마음이 설레어 "재밌겠다."를 연발했다.

연휴가 시작되기 전날 퇴근 시간에 맞춰 여동생이 회사 앞으로 차를 끌고 왔다. 아빠 생신 이후 삼 개월 만이었다. 얼굴을 보자마자 우리는 그동안 보고 싶어 어떻게 살았나 싶을 정도로 앞다투어 밀린 이야기를 쏟아냈다. 부모님 댁에 도착하니 발 빠른 여동생이 주문해 놓은 치킨 두 마리가 벌써 도착해 있었고, 얼마 전 시골집에 다녀온 아빠가 잡아 온 다슬기가 까먹기 좋게 수북이 쌓여 있었다. 껴안고 인사하느라, 먹느라 정신이 홀랑 빠져나갈 지경으로 떠들썩하게 명절이 시작되었다.

다음 날, 거실에 넓게 자리 잡고 앉아 전 부칠 재료를 다듬으며 나는 요즘 들어 병원 출입이 잦아진 엄마의 건강에 대해 이것저것 캐 물었고 여동생은 아빠와 현금영수증 처리에 대해 한참 이야기했다. 아빠는 회사 경리과장인 여동생에게 세금이나 보험료 관련 문제를 늘 물어보았다. 내년 3월 결혼을 앞둔 남동생은 바로 전날 여자친구와 다퉜다며 심란한 표정이었다. 이미 결혼해 집 사고, 차 사고, 애 키우고, 진도를 너무 나가 이혼까지 한 누나는 “왜, 뭐가 문제야?” 하며 허세를 부렸다. 그 옆에서 다른 누나가 “여차하면 그냥 엎어버려, 결혼한 것도 아닌데.” 같은 농을 던졌다. 그 소리를 듣고 엄마는 도끼눈을 뜨고, 실제로 호박 썰던 칼을 들고는 딸들을 노려봤다. 우리는 낄낄대며 아빠를 따라 옥상에 올라가 가지와 고추를 한 바구니 땄다.

추석 당일은 시댁에 다녀온 언니네까지 온 가족이 모여 옥상에서 거한 바베큐 파티를 벌였다. 옥상에는 아빠가 손수 만든 대형 테이블이 있었고 캠핑용 바베큐 그릴과 숯, 솔방울, 장작까지 준비되어 있었다. 한쪽에서 마늘과 채소를 다듬어 꼬치에 끼워 넘기면 다른 한쪽에서는 고기와 함께 그것들을 부지런히 구워 테이블로 옮겼다. 누군가는 술잔을 채우고 익힌 음식을 먹었다. 아직 초등학생인 조카는 자신의 유튜브 채널을 홍보했다. 나는 정치에 관심이 생긴 중학생 조카와 진지한 의견 교환을 했다. 남동생은 극적으로 여자친구와 화해를 하고는 알콩달콩 서로를 챙기고 있었다.

그렇게 푸지게 먹고 나서 세 번째 날은 계획했던 대로 소풍을 다녀왔다. 아이 때처럼 호기심 가득한 기분으로 들판을 뛰어다니거나 동생과 싸우진 않았지만-대신 아직 어린 조카들이 활약해 주었다-오랜만에 마음껏 웃고 망가지며 하루를 보냈다. 그야말로 혼신의 힘을 다해 즐긴 명절이었다. 집으로 돌아올 때는 엄마가 도시락 가방 싸듯 음식과 반찬을 담은 봉투를 하나씩 분배해 주었다. 감사한 마음으로 받아 들고 집에 돌아와 마지막 하루를 침대 위에서 보냈다. 뒤늦게 피로가 몰려와 식사도 거르고 내내 잠을 잤다. 그러면서 생각했다. 평소에 잘하면 될 것을 나는 왜 굳이 미안함을 쌓고 쌓는 걸까. 그러니까 더 무리하게 되는 거 아닐까. 그러다 아직은 아니야, 조금만 더 있다가, 하고 고개를 저었다. 알 수 없는 무게감이 가슴을 꾸욱 누르는 기분이었다.

왜 나는 사랑하는 사람들로부터 이런 중압감을 느끼는 걸까. 너무 소중해서, 무의식중에 내 자신을 덥석 내놓을 만큼 지키고 싶어져서? 그러다 나 자신이 사라져가는 걸 보게 될까 봐, 혹은 상대가 나로 인해 그렇게 되는 것을 보게 될까 봐. 그러면서도 결코 멈추지 못하고 서로를 영원히 가두게 되리라 예감하기 때문일까? 참 아이러니한 일이다. 서로를 사랑하기 때문에 두려움을 가지게 되고 그것이 정반대의 감정으로 치닫는다는 것 말이다.

하루 종일 잠에 빠져 허우적대다 전화벨 소리에 눈을 떴다. 엄마였다. 엄마는 잘 쉬었느냐, 탈 나지는 않았느냐, 챙겨준 음식은 버리지 말고 잘 챙겨 먹어라, 하며 말을 빙빙 돌리다 조심스럽게 물었다. 집에 들어와 사는 게 어떻겠느냐는 말이었다. 마침 남는 방도 있는데 굳이 좁고 위험한 곳에서 월세 내가며 살 필요 있느냐고, 혼자 지내는 것보다 들어와 사는 게 너도 훨씬 좋지 않겠냐고 물었다. 어두워진

방에서 눈을 비비며 그 말을 듣다가 나도 모르게 한숨을 길게 쉬었다. 그러자 엄마도 속상한 기색을 슬쩍 비쳤다. 나는 조금은 지치고 조금은 미안했다. 엄마에게 나의 독립이 그저 결혼생활의 실패로 여겨지는 것과 그게 아니라고 자꾸 설명해야 하는 것에 지치고, 한편으론 아직까지 부모로서의 책임감을 내려놓지 못하게 만든 것에 미안했다. 차라리 전화를 받지 말 걸 싶은 마음을 추스르며 엄마에게 간곡히 부탁했다.

"나 진짜로 행복해요. 너무너무 행복해. 그러니까 제발 걱정하지 마세요." 하고 말이다.

아마 엄마는 내 말을 믿지 않을 것이다. 운동을 하고, 텃밭을 가꾸고, 식사를 하는 동안 틈틈이 내 걱정을 할 것이다. 나 역시 엄마의 전화를 피하며, 카톡으로는 열렬히 답을 하면서 미안함을 쌓아가겠지. 아직은 다른 방법을 잘 모르겠다. 우리는 서로를 사랑하고 안쓰러워하며 영영 그렇게 살아갈지도 모른다. 하지만 지금으로선 그게 삶을 사랑하기 위해 내가 할 수 있는 최선이다.

첫 집을 떠나오며 1

우리나라의 독립 기념일은 1945년 8월 15일, 미국의 독립 기념일은 1776년 7월 4일, 네덜란드 1581년 7월 26일, 싱가폴 1965년 8월 9일…그리고 나도 독립 기념일이 있다. 2021년 5월 1일. 20일 후면 만으로 2년이 된다. 무심하고 숫자에 약한 나는 내 생일도 종종 까먹지만 이날만큼은 잊을 수 없다.

독립 기념일이 5월 1일이 된 것은 그날이 노동절이자 토요일이었기 때문이다. 아침 일찍 일어난 나는 백팩에 청소도구를 챙겨 앞으로 살게 될 오피스텔로 향했다. 먼저 건물

1층의 부동산에 들러 잔금을 치르고 현관 비번을 받았다. 곧바로 엘리베이터를 타고 내 집으로 올라갈 수도 있었지만 일부러 조금 뜸을 들이며 건물 안을 배회했다. 왠지 가슴이 두근거렸기 때문이다. 약간의 긴장과 설렘, 쑥스러움이 뒤섞인 낯선 기분이 들었다. 총 12층인 건물 1층에는 편의점과 커피 전문점, 빨래방, 콩나물 해장국집, 헤어샵 등이 빼곡하게 들어차 있었다. 2층은 직업 교육원과 공방이, 3층부터 주거 공간이었다. 이곳에 살게 된다면 건물 밖으로 한 발짝도 나가지 않고 웬만한 생활이 가능할 것 같았다. 청소를 하다 보면 목이 마를 것 같아 커피 전문점에서 아이스 커피를 테이크아웃 했다. 편의점에 들러 간단한 간식도 샀다. 마지막으로 입구 쪽 내 집 호수가 적힌 작은 우편함에 손을 밀어 넣어 뒤적이고 나서야 엘리베이터에 올랐다. 양옆으로 파란 현관문이 줄지어 있는 복도를 끝까지 걸어가 1021호 앞에 서니 가슴이 세차게 뛰었다.

'문을 열면 지금까지와는 다른 세계가 펼쳐지는 거야.'

나는 SF영화에 나오는 외계포털로 뛰어들기라도 할 듯 숨을 한 번 몰아쉬고 현관문의 비밀번호를 입력했다. 경쾌한 전자음과 함께 문이 열렸다. 그러자 휑한 공간을 채우고 있던 햇빛이 온몸으로 쏟아졌다. 현실보다 약간 과장된 감이 있지만 그 순간은 내 기억 속에 현실보다 한층 더 또렷

하고 실감 나게 남아 있다. 그 후로 나는 매일 같은 복도를 걸어 들어와 현관문을 열었다. 한동안은 현관문 앞에서 무척 설렜고 다음으로는 뿌듯했다. 그리고 따스함과 안도감을 거쳐 익숙함에 이를 무렵 생각지도 못한 이사를 하게 되었다. 무척 바라긴 했지만 내 입장에서 보면 정말 생각지도 못한 일이었다.

오피스텔은 쾌적하고, 시내 중심가에 있어 비교적 안전했지만 주거 비용이 꽤 들었다. 글 쓸 시간과 맞바꾼 근무 시간 탓에 월급이 쪼그라들어 사실상 매월 마이너스 생활 중이었다. 앞으로도 소득이 늘어날 계획은 없으니 나가는 돈을 줄어야 하는데 아무리 일인가구라 해도 빼도 박도 못하게 고정된 지출의 하한선이라는 게 있기 마련이다. 유일한 해결책은 임대주택뿐이었다. 하지만 그조차 녹록지 않았다. 소득이 적지만 나라의 지원을 받을 정도까진 아니었고 청년, 노인, 신혼부부 어느 조건 하나 들어맞는 게 없었기 때문이다. 그래도 줄기차게 청약 서류를 넣었다. 친절한 담당자는 매번 내게 당첨 가능성이 없음을 예방주사 놓듯 미리 확인시켜 주곤 했다. 임대아파트는 경쟁률이 치열했고 다가구 매입임대 주택은 그래도 해볼만 해 보였다. 그래서 공고문이 뜨면 간절한 마음으로 찾아가 주변 환경을 둘러보고 교통편을 확인하기도 했다.

담당자의 말대로 결과는 번번이 꽝이었다. 그러는 동안 집을 옮겨야 하는 이유가 또 생겼다. 시간이 갈수록 자꾸 짐이 늘어가는 것이다. 책과 프린트물, 노트 같은 것들이 쌓여갔다. 특히 책이 문제였는데 부피를 줄이기 위해 전자책과 도서관 대출을 이용하려고 노력했지만 전자책은 필요한 부분을 빠르게 찾는데 답답함이 있었고 대여한 책은 이상하게 꼭 기간이 부족했다. 마음대로 줄을 그을 수도 없었고 나중에 다시 찾아보기도 어려웠다. 결국 꼭 필요한 경우를 골라 책을 구입하게 되었는데 그런 책들도 한두 권 쌓이다 보니 책장이 부족해졌다. 나는 읽어야 할 책과 다시 볼 책을 또 골라 침대 옆에 쌓기 시작했다. 침대와 책상이 한두 걸음 차이라 아무 때고 찾아 읽기에 불편함은 없었다. 하지만 책이 쌓일수록 움직임에 제약이 생겼다. 침대에서 기지개를 켜다 움찔하고 책을 피해 의자를 움직이다 책상에 무릎을 부딪치는 날이 부지기수였다. 2년 전 입주 파티에서 나의 독립 선배 똑똑이는 "지금은 좋아도 곧 답답해질 거야. 되도록 빨리 청약을 시작해."라고 조언했었다. 그리고 당시엔 설마, 싶었던 일이 생각보다 빠르게 현실화되는 중이었다.

청약하고 떨어지기를 반복하던 어느 날, 기대 없이 넣었던 매입임대 청약에서 순위 115번이라는 문자를 받았다. 나는 이번에도 글렀네, 하며 다음 공고를 기다리고 있었다. 약 2주 뒤 앞번호 순위자들의 청약이 끝난 후, 다시 문자와 잔여 주택 정보가 담긴 등기가 왔다. 늘 대기자보다 주택이 부족해 경쟁률이 치열했는데 무슨 영문인지 꽤 많은 주택이 남아 있었다. 대부분 4인 가족 기준의 넓은 빌라였지만 간간이 16평대의 투룸이 섞여 있었다. 마음이 급해졌다. 서두른다고 순번이 당겨지는 것도 아닌데 말이다. 계약일까지 또다시 2주 정도의 여유가 있었다. 그동안 지도앱으로 주택들의 위치를 확인하고 대중교통으로 출퇴근이 가능한 후보지를 선별했다. 그중 다시 적당한 크기의 집을 골라내자 아슬아슬하게 내 순번에 닿을 만큼 후보지가 남았다. 주택 공사에서는 계약 전 약 5일간 집을 직접 볼 수 있는 기간을 주었다. 나는 부지런히 집들을 답사했다. 위치나 크기, 주변 컨디션이 꼭 맞는 집 순서대로 번호를 매기다 보니 간절함이 더욱 증폭되어 마음을 내려놓기가 힘들었다. 제발, 제발, 하다가도 내 인생에 기억날 만한 행운이 없었던 걸 떠올리며 미리 실망하는 연습을 하기도 하는 날들이 느릿느릿 지나갔다.

결과는 기적적이었다. 답사하며 1지망으로 꼽았던 주택에 계약을 하게 된 것이다. 계약 당일 주택공사 사무실에 수험생들처럼 순번대로 앉아 차례를 기다리다 "115번 오세요." 하는 소리에 부리나케 뛰어나가 계약을 마치고 자리로 돌아왔다. 내 바로 옆에 앉아 있던 116번이 내가 계약한 집 바로 옆집을 선택하는 것을 보고 나서야 가슴이 철렁하며 정신이 들었다. 내게도 이런 행운이 있을 수 있다니! 계약을 마치고 현재 재정 상태를 고려해 보증금 조율 후 수정계약서까지 작성하고 나오니 한 시간이 훌쩍 지나있었다. 노란 서류 봉투에 담긴 계약서를 소중히 끌어안고 나는 부모님과 똑똑이에게 흥분상태로 전화를 했다. 두서없이 쏟아내는 기쁨과 설렘의 말들을 그들은 흔쾌히 받아주었다. 그렇게 지하철역에 도착하기까지 한참 통화를 하고 나서야 뒤늦게 허기가 밀려왔다. 기분 좋은 허기였다. 첫 계약서를 받아 들고 겨우 커피를 마셨던 2년 전에 비하면 좀 더 씩씩해진 모양인지 내 발은 단골 콩나물국밥집으로 거침없이 향했다.

첫 집을 떠나오며 2

뜻밖의 행운으로 떠나게 된 나의 첫 집. 6평짜리 오피스텔. 이사 준비를 하는 동안 그곳에서 지낸 2년이 새삼 애틋하게 다가왔다. 볼 하나짜리 싱크대에 맞는 건조 선반을 찾느라 애썼던 일이며, 최대한 바람이 들어오는 창 가까이 접착식 빨랫대를 설치하고 뿌듯했던 일, 화장실 변기 옆에 청소도구 걸이를 설치하다 손을 다쳐 한밤중에 119를 불렀던 일. 피 묻은 반팔, 반바지 차림으로 택시 타고 집으로 돌아오던 그 밤에 이제야 정말 혼자 살게 되었구나, 씩씩해져야겠다. 다짐했던 순간이 모두 그 집에 고스란히 담겨 있었다.

나의 이사 소식을 들은 딸아이는 기뻐했지만 내심 서운한 눈치였다. 레슨 받는 곳이 가까워 종종 허기지고 우울한 날은 나에게 들렀기 때문이다. 우리는 시시덕거리며 엽떡 같은 야식을 시켜 먹고는 너무 많이 먹었다며 배를 움켜쥐고 1층 편의점에서 소화제를 사 먹고 동네 산책을 했다. 가끔 자고 가는 날에는 휴대용 빔프로젝터로 함께 영화를 보기도 했다. 이사 가게 되면 그런 일을 자주 할 수 없게 될 것이었다.

오피스텔은 내놓자마자 금방 나갔다. 부동산을 통해 다음에 들어올 세입자와 이사 날짜를 맞추고 이삿짐 업체를 알아봤다. 큰 가구라고 해봐야 슈퍼싱글 침대와 책상, 책장이 전부인데 포장이사를 하려니 견적이 60만 원을 훌쩍 넘었다. 새집에는 가전 옵션이 없어서 에어컨과 세탁기, 냉장고를 모두 새로 사야 하는데 그렇게 큰돈을 덥석 쓸 수는 없었다. 카니발 같은 큰 차를 빌려 이삿짐을 나를까 생각하다 1톤 트럭 하나를 부르기로 했다. 이사 비용이 10분의 1로 줄었다. 트럭에 다 실을 수 없는 잔짐은 차가 있는 똑똑이의 도움을 받았다. 주말을 이용해 똑똑이의 차로 잔짐을 날라 놓고 휴가를 하루 보태 이사를 마쳤다.

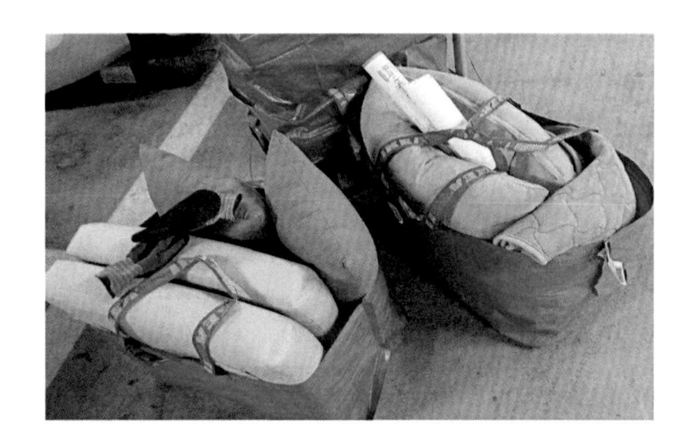

새 계약자가 들어오기 전 일주일의 여유 기간 동안 퇴근길에 비어 있는 집을 괜히 들락거렸다. 짐을 싹 비워낸 집은 허전하기 그지없었다.

'이곳에 침대가 있었고, 책상이 있었고, 내가 있었구나.'

마치 오래된 유물을 발굴하는 사람처럼 벽을 구석구석 쓰다듬다 울컥 감정이 치솟기도 했다. 다시는 볼 수 없게 될 그 방에 남은 내 흔적을 사진으로 남기고 현관과 복도, 엘리베이터도 사진찍었다. 그리고 마지막 날에는 딸아이를 초대했다. 우리는 근처 시내에서 쇼핑을 하고 함께 집으로 가 작별 인사를 했다.

"엄마, 마음이 이상해."

"그치?"

"우리 여기서 참 많이 웃었다."

"맞아. 너무 아쉽네."

"막상 새집에 가면 여긴 까마득히 잊을걸."

"어우 야~. 찔리잖아."

맞는 말이었다. 아쉽긴 해도 2년을 다시 살아야 한다면 까마득할 것 같은, 이제는 지나버린 시간들 덕에 웃음이 터졌다. 그렇게 아쉬움과 유쾌함을 남기고 나는 나의 첫 집을 떠나왔다. 마음 같아선 안 보이는 구석에 다음 계약자를 위해 행운의 네잎클로버라도 그려주고 싶었지만 볼펜이 없어 그만두었다. 내가 살고 나간 집에서 다음 사람도 자기만의 행복을 찾을 테니 차라리 잘된 일이었다. 그에게도 좋은 공간으로 기억되길 바라는 마음만 가득 담아 두기로 했다. 그리고 다음 날 그가 현관문을 열 때 2년 전의 나처럼 쏟아지는 햇살과 함께 그 마음을 온몸으로 받는 모습을 상상하며 문을 닫았다.

"안녕, 나의 집. 고마웠어."

▍에필로그

혼자라서 혼자가 아닌

오피스텔로 짐을 모두 옮기고 처음으로 혼자 자던 날이 생각난다. 침대와 책장만 덜렁 들여놓은 방 이쪽저쪽에 옷가방과 책 꾸러미, 미처 풀지 못한 박스들이 어지럽게 쌓여 있었고 나는 머리부터 발끝까지 먼지투성이였다. 문득 배가 고팠다. 이제 살림은 안 하기로 했으므로 나는 배달앱으로 찜닭을 주문했다. 독립생활의 첫 끼이니만큼 든든하고 푸짐한 음식을 먹어줘야 할 것 같았기 때문이었다.

그러나 호기롭게 주문한 찜닭은 한 조각만 먹고 도로 뚜껑을 덮었다. 역시 고기는 나에게 무리였다. 자축을 위한 캔맥주를 한 모금 들이켜고 벽에 등을 기댔다. 아직 커튼을 달지 않은 작은 창 너머 건너편 오피스텔의 빼곡한 창과 불빛들이 보였다. 이제 저 풍경을 매일 보겠구나 생각하니 어쩐지 뭉클해졌고 조금 쓸쓸한 기분도 들었다. 문밖은 고요했고 더는 나를 찾는 사람이 없는 밤이었다.

그 후로 만 이 년간 책상에 앉을 때마다 창과 마주했다. 맑고 조용한 평일 밤이면 건너편 오피스텔의 창이 마주 보였고 주말에는 일 층 상가의 고깃집과 맥줏집의 네온 조명이 내려다보였다. 비가 내리는 날은 넓은 공영주차장에 드문드문 세워진 가로등 빛 아래로 떨어지는 빗방울이 훤히 보이기도 했다. 그러나 무엇보다 가장 자주 볼 수 있었던 건 책상 앞에 앉은 내 얼굴이었다. 노트북의 빈 화면을 막막하게 들여다보다가, 책을 읽고 일기를 쓰다가, 혹은 엎드려 울다가도 고개를 들면 어김없이 창이 검은 반사판처럼 나를 비추었다.

"봐, 넌 여기 있어. 여기 이렇게 분명히."

창은 그렇게 말하는 것 같았다. 덕분에 적막한 여섯 평 오피스텔 안에서 나는 나와 친구가 될 수 있었다. 나는 마치 미지의 세계를 탐험하듯 조심스럽고 설레는 마음으로 나를 발견해 나갔다.

이 책은 그 순간들을 빠짐없이 기억하고 싶어 남긴 사진과 글의 모음이다. 그동안은 혼자서만 간직했던 이야기들이었는데 새집으로 이사하고 나니 불쑥 용기가 생겨 글쓰기 모임에 내놓고 브런치에도 하나씩 올렸다. 고맙게도 글을 읽고 많은 이들이 애정과 격려를 담아 공감해 주었다.

"모든 슬픔은 당신이 그것들에 관해 이야기를 할 수 있다면 견뎌질 수 있다."

은유 작가의 『쓰기의 말들』에서 발견한 문장이다. 독립은 했지만 여전히 과거의 우울함에서 벗어나지 못했던 나는 어쩌면 이제 조금은 이야기할 힘이 생긴 건지도 모르겠다. 그렇게 생각하니 씩씩해져야겠다고 다짐했던 어느 밤의 일이 먼 과거처럼 느껴진다. 나는 또다시 이 힘을 밑천 삼아 앞으로의 나와 미처 들여다보지 못했던 주변을 돌보며 씩씩하게 살아갈 것이다.

이 년 내내 나를 지켜봐 준 창과 존경하는 친구 똑똑이, 딸 수빈과 가족, 또 다른 나 주옥, 주희, 상연과 남편 동혁, 황시연 님, 에세이 클럽 문우들과 브런치 독자님들, 앞으로 책을 읽어주실 분들께 감사합니다.

2023년 12월 마지막 날에